Johanne Poulin Gagnon

L'Horloge aux Souvenirs

Tome II

à mes enfants,

> *Benoit*
> *Michel*
> *Yani*
> *Isabelle*

avec tout mon amour

GÉNÉALOGIE

FAMILLE BEAUCHAMP

Cléophas et Adélaïde

Ferdiand (Émérentienne)
Émile (Germaine)
Maurice (Mathilde)
René
Florence

FAMILLE GRAND-MAISON

Eugène et Zoé

Raoul (Louisa)
Mathieu (Malvina)
Arthur

ARTHUR ET FLORENCE GRAND-MAISON
1875-1932   1882

Charles (Laurence)
1900-44, 1902
(Laurent, Pauline, Madeleine, Marie-Renée, Pierre, Jacques, Flore)
1925   1927   1929   1931   1933 1935   1937

Jeanne
1902

Gérard (Antoinette)
1903-45, 1903
(Colette, Roger, Marcel, Liette, Raymonde, Monique, Liliane, Gaétan)
1926   1927   1928   1930   1932   1935   1937   1940

Aimé et Marie-Ange
1904-05

Irène (Léopold)
1907, 1900
(Élisabeth)
1930

Simone (Manuel)
1910
(Marguerite)
1926

Antoine
1912

1932

FLORENCE s'approcha du miroir et releva sa voilette. Elle s'étonna de la dureté de son regard et retira son chapeau d'un geste brusque. Passant de la rage à la tristesse constamment, elle était en proie à une confusion extrême. La lecture du testament avait constitué l'épreuve ultime, exprimant la dépossession des biens matériels du défunt et concrétisant son départ définitif. «C'est comme si tu étais mort une deuxième fois sous mes yeux, Arthur. C'est comme si on m'avait enfoncé un clou dans la tête pour me faire comprendre que tu n'allais plus jamais revenir. Plus jamais! Savais-tu que ces deux mots-là sont les plus durs à accepter? Tu n'avais pas le droit de me laisser toute seule!»

Pour échapper à ce sentiment d'abandon qui la broyait, elle s'étendit sur son lit et ferma les yeux. La première image qui s'imposa à son esprit fut intolérable: Arthur n'avait plus que la peau et les os, le teint cireux et les traits méconnaissables. Seul un faible râle indiquait par intervalles qu'il n'avait pas encore rendu l'âme. Florence chassa cette vision des derniers instants et remonta légèrement le cours du temps, jusqu'à cette folle nuit de Floride, dans le solarium fleuri, alors qu'ils avaient bu et mangé, qu'ils avaient parlé d'amour avec des mots tendres et beaux, des mots que la timidité retient habituellement au fond du cœur.

Soudain, l'insoutenable réalité disparut. Florence ne sentit plus sous elle la douceur moelleuse du matelas et éprouva au contraire le contact du plancher sur lequel Arthur l'étendait. Autour d'elle, la flamme des bougies créait un éclairage magique, alors qu'il retirait sa robe et que pas un brin de retenue ne venait la mettre dans l'embarras. Sans la quitter des yeux, il prenait une gorgée de champagne et se penchait au-dessus d'elle lentement. Le liquide sur sa gorge la surprenait d'abord, mais, à mesure qu'il descendait le long de son corps et qu'Arthur léchait ses seins et son ventre, et que chaque nouvelle gorgée ainsi versée l'amenait à de plus intimes explorations, Florence tressaillait et gémissait.

Étendue sur son lit, dans le souvenir de sa dernière nuit d'amour, Florence fut emportée par la jouissance, et, sitôt celle-ci passée, fut replongée cruellement dans la réalité. Rien de tel, jamais, ne lui était arrivé. Elle en éprouva un profond malaise qui la fit se lever hâtivement.

Elle se retrouva au solarium à regarder tomber la neige qui s'échappait d'un ciel gris et bas. Des tourbillons se formaient ici et là, présageant une tempête, mais elle était absente aux tourments de la nature et se laissait emporter de nouveau par la dérive du temps présent et des soucis que lui causait le testament. «La présidence! Je pensais que tu avais préparé tes fils à cette éventualité! Mais non! Je t'en veux, Arthur! Tu n'étais pas là pour voir le regard noir que m'a jeté Charles! Tu n'étais pas là pour constater l'embarras de Gérard! La présidence à ce prix-là? Comment veux-tu qu'une mère affronte ses propres fils?»

Le vent hurlait aux fenêtres tandis que la pièce s'assombrissait. Florence frissonna et eut soudain l'impression que le froid la transperçait jusqu'à la moelle des os.

– Charles! Arrête de tourner en rond comme un ours en cage. Tu me donnes le vertige!

– C'est à se demander si mon père avait toute sa tête quand il a fait son testament! Ma mère à la présidence!

– Elle va peut-être se désister?

– Penses-tu! Au fond, elle est aussi ambitieuse que l'était mon père! Peux-tu imaginer, Laurence, que ça me passe sous le nez aussi bêtement?

– Qu'est-ce que ta mère connaît aux affaires ? Je pense que tu t'inquiètes inutilement.

Charles continuait de tourner en rond et sa femme détourna légèrement la tête pour contrer la nausée qui la gagnait.

– Si la présidence t'échappe, tu resteras ?

– Nous sommes assis sur une mine d'or ! Tu crois que j'ai envie d'abandonner, quand j'ai déjà l'ébauche de plusieurs projets ? Jamais !

– Et ton club nautique ? Tu as vraiment abandonné l'idée ?

– Le projet est en veilleuse, c'est tout ! Nous possédons le terrain, c'est déjà ça de pris. Pour le reste, et Léopold est d'accord avec moi, mieux vaut attendre. La situation économique est trop difficile pour que nous risquions de tout perdre. Pour le moment, c'est d'ailleurs le moindre de mes soucis !

Charles ne s'était toujours pas assis. Laurence avait choisi ce jour-là pour lui annoncer sa grande nouvelle, alors qu'elle était certaine de sa nomination à la tête des entreprises familiales, mais elle se demandait à présent s'il ne valait pas mieux attendre qu'il se calme.

– Plus j'y pense, moins je comprends ! Mon père avait confiance en moi et il croyait en mes projets d'expansion. Ma mère a dû lui forcer la main sur son lit de mort. C'est la seule explication possible. Les choses n'en resteront pas là, je t'en donne ma parole !

Charles se dirigea vers le vestibule à grandes enjambées.

– Où vas-tu ?

– Réfléchir et prendre l'air pour me calmer !

– En pleine tempête ?

Charles s'habilla et revint sur ses pas pour déposer un baiser sur le front de Laurence. Elle était si déçue qu'elle ne tenta même pas de le retenir. «C'est ça, pensa-t-elle, va prendre l'air et reviens-moi aux petites heures du matin ! Pour ce qui est de ma grande nouvelle, on verra bien le nombre de mois que tu mettras à la découvrir!»

Son bébé dans les bras, Antoinette pleurait tandis que Colette l'observait par le trou de la serrure. Voyant que les pleurs de sa mère redoublaient, la fillette descendit au salon et vint s'asseoir aux pieds de son père.

– Papa?

Gérard se sortit la tête de son journal et Colette prit son courage à deux mains pour lui parler, car elle craignait toujours de le déranger.

– Maman pleure encore.

– Après la venue d'un bébé, les femmes pleurent toujours. Pourquoi ne vas-tu pas la consoler?

– Parce que je suis trop petite.

– Tu es une grande fille maintenant que tu vas à l'école.

– Pas assez grande, parce que maman a trop de chagrin.

– Et tu penses qu'il faut de grands bras pour consoler un si gros chagrin? demanda Gérard en se relevant de son fauteuil.

Colette sourit à son père et se sentit fière de sa démarche. Elle le laissa monter l'escalier avant de le suivre, puis colla de nouveau son œil au trou de la serrure. Son père prenait la petite Raymonde des bras de sa mère et la déposait dans son berceau.

– Tu n'aurais pas dû laisser repartir ta mère aussi vite. Et puis cette maison est bien grande à entretenir pour une femme seule avec un cinquième enfant. Je veux que tu cherches une aide à plein temps.

– C'est très généreux de ta part, Gérard. Je demanderai à Tatiana de me conseiller.

– Tu as besoin de quelque chose? Un verre de jus, peut-être? Un livre?

– Si seulement j'avais pu te donner un autre fils !

Antoinette recommença de plus belle, incapable de retenir ses larmes. Colette vit alors les bras ballants de son père un moment, puis émit un soupir de soulagement en le voyant serrer sa mère.

– Ma pauvre Antoinette, il ne faut pas te mettre dans un état pareil.

– Comment veux-tu que je fasse autrement ? Tu me laisses toute seule, enfermée ici à allaiter le bébé, et tu ne prends même pas la peine de monter me raconter ce qui s'est passé chez le notaire ! Charles est-il le nouveau président ?

– Non.

– Alors, c'est toi ?

– C'est ma mère. Enfin, si elle accepte.

– Tu es déçu ?

– Comme je n'ai jamais espéré plus que la vice-présidence, je ne suis pas déçu. Je dirais au contraire que je suis rassuré. Charles aurait tout chambardé, malgré les conseils de notre père, qui lui répétait sans cesse de mettre la pédale douce à ses projets.

– Ta mère sera à la hauteur ?

– Je le pense. C'est une femme intelligente, réfléchie. D'ailleurs, le seul fait qu'elle ait sauvé mon père du désastre financier lors du krach, prouve assez bien qu'on ne doit pas la sous-estimer. Je ne serais pas surpris qu'elle vaille à elle seule son pesant d'or avec ses maisons à revenus et ses placements, sans parler du potentiel que représentent les terrains qu'elle possède avec l'oncle Émile.

– Qu'est-ce qui t'inquiète, alors ?

– Qui te dit que je suis inquiet ?

– La grosse barre sur ton front !

Gérard sourit à Antoinette. Il se rendit compte que l'attention de sa femme le réconfortait. Il s'aventura donc plus loin sur le terrain des confidences.

– Pour tout te dire, c'est l'attitude de Charles qui m'inquiète. Je ne l'ai jamais vu dans un état pareil. À force de recevoir le pain tout cuit dans la bouche, mon frère ne pouvait pas imaginer que la présidence puisse revenir à ma mère. On lui a coupé l'herbe sous le pied et il n'arrive pas à le croire. J'ai peur qu'il conteste le testament.

Pour une fois que la chance lui était offerte d'apaiser son mari, les mots ne venaient pas à Antoinette. Que fallait-il dire ? Elle l'ignorait. Au bout de quelques minutes de silence, Gérard se releva.

– Je t'ai assez ennuyée avec les problèmes de ma famille. Je t'apporte un verre de jus.

Une fois de plus, il s'en voulut d'avoir espéré autre chose qu'une conversation banale avec sa femme. Durant leurs fréquentations et leur première année de mariage, il avait aimé qu'elle pose sur lui ses grands yeux tristes, à la manière d'une biche qui demande à être épargnée. Personne jusque-là n'avait provoqué chez lui un tel sentiment de force. Antoinette avait au fond du regard une attente qu'il pouvait combler, lui semblait-il alors. Peu à peu, il découvrit pourtant qu'elle portait ce même regard sur tous les êtres de son entourage et sur la vie en général. Il finit par se convaincre qu'elle n'attendait rien de lui ni de la vie, et se referma graduellement au contact de sa femme. Si, par mégarde, il se laissait reprendre au piège d'une espérance quelconque, il n'en devenait que plus amer par la suite.

Quand Gérard sortit de la chambre, Colette s'enfuit juste avant que la porte s'ouvre sur un homme au visage de marbre.

Malvina fendait du bois derrière la maison. Absorbée dans ce travail, où elle prenait un malin plaisir à faire éclater la bûche d'un seul coup de hache, elle n'entendit pas venir Raoul, qui en profita pour s'adosser au mur de la remise afin de l'observer à son insu. «Torrieuse de Malvina que t'es belle!» se dit-il tout en laissant le désir s'emparer de lui. «Qu'est-ce que j'ai fait au bon Dieu pour t'avoir à portée de la main sans jamais pouvoir te toucher?»

– Raoul Grand-Maison! Mon grand vlimeux! Ça prend tout un front de bœuf pour me lorgner en cachette! Ça fait longtemps que t'es là?

– Pars pas en peur, Malvina! J'osais juste pas t'arrêter en plein élan. T'es-tu levée du pied gauche à matin, pour être à pic de même?

– Demande plutôt ça à ton frère!

Raoul préféra ne pas interroger sa belle-sœur trop vite, lui donnant ainsi le temps de descendre d'un cran, et commença à ramasser le bois fendu pour le rentrer dans la maison. Malvina en fit autant.

– Mathieu est pas là?

– Comme si tu l'avais pas vu partir! À chaque fois, c'est du pareil au même. Dès qu'il part, tu rappliques!

Ils rangèrent le bois derrière le poêle et, tandis que Malvina préparait du thé, Raoul balayait les copeaux sur le plancher.

– Comme ça, mon frère était de mauvais poil à matin?

– On aurait dit qu'il cherchait la chicane. Crains pas qu'à force de chercher, il l'a trouvée! J'ai beau être patiente, j'ai mes limites!

– Il m'a l'air nerveux, ces temps-ci. Des problèmes?

– Des problèmes! Des problèmes! Dans sa tête, oui! Depuis la mort d'Arthur, il s'invente toutes sortes de bobos. Quand c'est pas le cœur, c'est le foie, pis quand c'est pas ça, c'est autre chose! Si tu veux tout savoir, j'ai fini par lui dire d'aller consulter le docteur.

Malvina versa l'eau bouillante dans la théière et se tourna vers Raoul en souriant malicieusement.

— En fait, c'est la fin de mon discours que Mathieu a pas digérée, quand j'ai ajouté que par la même occasion, pis pour le même prix, vaudrait mieux pour lui de demander un tonique au docteur.

— Un tonique?

— Un tonique pour l'aider à accomplir son devoir conjugal!

Ils riaient à présent comme ils n'avaient pas ri ensemble depuis longtemps. Raoul s'arrêta le premier, encore émoustillé par les propos de Malvina.

— T'es belle quand tu ris. T'es belle quand t'es en colère. T'es belle tout le temps, Malvina. Pis, pour ton information, tu sauras que j'ai pas besoin de tonique, moi!

— Toi, occupe-toi plutôt de ta veuve, pis commence donc par fixer une date de mariage, au lieu de dire n'importe quoi!

— Le mariage! Toi pis Mathieu, vous avez juste ce mot-là à la bouche! Tu trouves pas que j'ai passé l'âge?

— Soixante-sept ans, c'est tout jeune pour un homme, tandis que, pour une femme, soixante-deux ans c'est trop vieux pour s'épivarder. Tu comprends ça, Raoul? Il faut pas jouer avec le feu, on risque de se brûler.

— La flamme est toujours dans tes yeux, Malvina. Comment veux-tu que la mienne s'éteigne?

Pour cacher l'émoi qui montait en elle, Malvina se posta à la fenêtre.

— Tiens! dit-elle avec soulagement, si c'est pas Mathieu qui revient!

∽∝∾

Irène ne portait plus à terre. Elle venait de recevoir la confirmation de son voyage et voulut aussitôt partager sa joie avec Laurence. Elle arriva chez sa belle-sœur, aussi excitée qu'une enfant devant sa première bordée de neige.

– Tu ne devineras jamais la chance qui m'arrive !

– Non, mais je sens que tu vas vite me l'apprendre !

– On m'offre d'aller perfectionner mon art auprès d'un grand maître, M. Marcel Dupré, sans doute le plus prestigieux organiste de notre époque ! À Paris, ma chère, pour un mois !

– Et peut-on savoir qui se cache sous ce «on» si impersonnel ? Un homme de soutane, peut-être ?

– Laurence ! Comme si j'étais incapable de me débrouiller toute seule pour établir des contacts !

– Irène ! Me prends-tu pour une gourde ? Tu vas partir avec ce prêtre ! Et tu voudrais que je m'en réjouisse ?

– Je l'aime !

– Tu l'aimes ! La belle affaire ! Pleure un bon coup, ça va passer ! Attends-tu que le scandale t'éclabousse ?

– Si seulement tu pouvais comprendre. Je l'aime à la folie, Laurence, à perdre mon âme ou ma vie. Comment veux-tu que la peur du scandale m'arrête ?

– En pensant à ta petite Élisabeth, tout simplement ! Sans parler de Léopold et de toute la famille Grand-Maison ! Passe encore que je te garde mon amitié, mais n'essaie pas de faire de moi ta complice ! Jamais !

Laurence se leva d'un bond, les joues empourprées par la colère, et laissa Irène plantée seule au milieu de la cuisine.

Igor entra chez lui en se demandant s'il n'avait pas oublié un anniversaire ou un événement de haute importance, tant l'atmosphère respirait la fête. Il renifla l'odeur des blinis, ces merveilleuses petites crêpes dont il raffolait autant que des hors-d'œuvre qui les accompagnaient, et il saliva. Puis il reconnut sur la table la nappe des occasions spéciales, celle qu'on mettait des heures à repasser, selon Tatiana, et qu'on sortait uniquement aux grands jours. En vitesse, il survola mentalement les dates à retenir et ne trouva rien de particulier au calendrier de mars.

Tatiana fredonnait dans la chambre. Il en profita pour allumer les bougies, éteignit ensuite les lumières et l'attendit dans un recoin sombre. Elle ouvrit enfin la porte et Igor resta bouche bée en l'apercevant tandis qu'elle poussait un cri de surprise.

– Moi qui voulais te surprendre !

– Ma tsarina jolie ! Tu ne cesses pas de me surprendre !

– J'ai dû forcer un peu sur les coutures, dit-elle en tournoyant dans une robe typiquement russe, mais, sous l'éclairage des bougies, c'est moins visible. Seulement, il faudra te pincer les narines, mon beau mari, si tu ne veux pas sentir l'odeur des boules à mites.

– La vie que tu me fais, mon petit oiseau ! Tu me rends si heureux, si heureux !

– Alors, trinquons à notre bonheur ! s'exclama-t-elle en emplissant deux petits verres de vodka qu'ils burent d'un trait.

– Tu me racontes tout de suite ce qui se passe ou tu me laisses languir ?

– Que dirais-tu d'un voyage en Floride ? Un voyage en Floride avec notre petite Élisabeth ? Pour un mois, Igor, tout le mois d'avril !

Igor osait à peine respirer, de peur de s'éveiller brusquement et de sortir d'un rêve fou. Tatiana s'approcha et lui pinça le bras en riant.

– Tu ne rêves pas, mon beau mari. Sers-nous à boire !

Igor s'exécuta sans se faire prier et Tatiana commença le service.

– Cet après-midi, madame a finalement accepté l'invitation de son amie Hortense, chez qui elle ira passer quelques jours. Après tous ces événements tragiques, et je ne parle pas uniquement de la mort de monsieur, c'est la meilleure chose qui pouvait lui arriver.

– De quel autre événement tragique veux-tu parler?

– Igor! Tu as ramené madame et tu n'as pas remarqué dans quel état elle se trouvait?

Igor se délectait tout autant des propos de sa femme que de chaque bouchée avalée. Personne, à sa connaissance, ne savait alimenter une conversation aussi finement qu'elle.

– Il faut dire, ajouta Tatiana, que je détiens certaines informations…

– Lesquelles? demanda Igor dont la curiosité était piquée à vif.

– Cet après-midi, M. Alfred Poulin est venu et, bien malgré moi, j'ai entendu certaines bribes de conversation. «Je vous demande, a dit madame, de veiller aux affaires de la famille en mon absence. Ne laissez passer aucune décision importante sans que j'en sois avisée.»

– M. Grand-Maison a-t-il remis la présidence entre les mains de sa femme?

– Attends! J'y arrive! Après l'avoir assurée de son dévouement absolu, M. Poulin lui a dit: «Vous devez accepter la présidence, madame Grand-Maison. Charles et Gérard ne peuvent pas l'assumer. Pas encore!»

– Il n'y a donc rien de décidé? Et tu crains que la porte soit ouverte à toutes les disputes familiales que l'on puisse imaginer?

– Plus que tout, je crains l'ambition de Charles. Avec ses idées de grandeur, peux-tu l'imaginer courbant l'échine devant sa mère? Non! C'est depuis sa plus tendre enfance qu'il aime commander et jouer au grand seigneur! Renoncer à la présidence sans se battre? Impossible!

– Mange un peu, ma tsarina. Nous ne pouvons rien changer à la destinée de la famille Grand-Maison, malgré tout l'attachement que nous lui portons.

Tatiana mangea et raconta, entre les bouchées, que leur patronne s'était mise à pleurer en préparant sa valise.

– Je suppose qu'elle a revécu du même coup ses préparatifs pour la Floride, puis la maladie et la mort de son mari, car, au bout de ses larmes, elle a dit que rien n'était plus précieux que le bonheur d'un couple et qu'il était grand temps pour toi et moi d'aller profiter des bienfaits de la mer chez les Richard.

– Et que vient faire notre petite Élisabeth dans tout ça?

– Le hasard veut qu'Irène parte pour la France au même moment et qu'elle nous confie sa fille.

– Son mari l'accompagne?

– Pourquoi l'accompagnerait-il? Connais-tu une personne plus aveugle ou plus indifférente au sort d'Irène que Léopold?

Igor emplit les verres de nouveau, tendit le sien à Tatiana et dit :

– Pour une fois, Tatiana, faisons-nous la promesse de ne penser qu'à nous pendant tout le mois!

– Pour une fois, soyons un peu égoïstes! Aux Rostopchine! dit-elle en choquant son verre contre celui d'Igor.

Les piles de draps et de taies d'oreiller s'amoncelaient, le tout étincelant de blancheur et parfaitement plié. La buanderie baignait dans une forte odeur d'empois mais Simone et Lucienne ne la sentaient plus, trop heureuses de travailler ensemble à l'abri des oreilles indiscrètes.

– Ça fait combien de mois que tu vis ici? demanda Lucienne à brûle-pourpoint.

– Combien de mois? Ça fait plus de six ans!

– Six ans? Et t'es pas devenue folle?

La question ébranla Simone. «Peut-être bien que je suis folle? se demanda-t-elle. C'est sûrement ça! Tellement folle que je n'étais pas capable de m'en rendre compte par moi-même!»

– Est-ce que j'ai l'air d'une folle, Lucienne?

– Qu'est-ce que tu vas chercher là? C'était juste une manière de parler. Pour une fois que j'ai une amie, j'ai pas l'intention de la traiter de folle! Manquerait plus que ça!

– Peut-être que je suis folle et que ça paraît pas?

– Simone! Faut pas dire des choses pareilles! Au lieu de croire que t'es folle, pourquoi tu pars pas d'ici?

– Pour aller où?

– Pour aller travailler, tiens donc!

– Travailler où? Je sais rien faire.

– Qu'est-ce que tu fais, toute la journée? Du lavage, du repassage, du ménage, et j'en passe! T'as jamais pensé que tu pourrais être payée pour ça? Logée, nourrie, et payée!

– Comme Tatiana!

– Comme qui?

Une religieuse entra dans la buanderie pour leur assigner de nouvelles tâches et Simone ne revit plus Lucienne de l'après-midi. Le soir, en se retrouvant au dortoir, elles reprirent la conversation sur le ton de la confidence. À mesure que Lucienne parlait, Simone sortait de sa léthargie et renaissait à la vie.

En se couchant, elle ferma les yeux, et, comme tous les soirs, les paroles d'Adélaïde se reformèrent dans sa tête. Elle s'en imprégna avant de lui confier sa journée et sentit presque la caresse des vieilles mains dans ses cheveux, alors que la voix de l'aïeule murmurait: «Je serai toujours dans ton cœur, ma Simonette.»

«Mémère! J'ai une amie! Une vraie amie! Comme votre amie Rose-Aimée, vous comprenez? En sortant d'ici, elle va chercher à me placer au service d'une famille juive. Inquiétez-vous pas, mémère, ces gens-là sont de bien bonnes personnes, qui nous laissent pratiquer notre religion. C'est juste que les gages sont meilleurs que chez les familles canadiennes-françaises et qu'ils nous laissent plus de liberté. C'est ce que dit Lucienne et je peux me fier à elle, parce que c'est mon amie. Elle a commencé à m'apprendre l'anglais. Des phrases simples, pour montrer que je les comprends. Je vais partir d'ici, mémère. Bientôt! Tout mon argent, je le mettrai de côté. Pour Marguerite, vous comprenez? Comme ça, si ma mère meurt pour aller rejoindre papa que j'ai même pas eu le droit d'aller voir à son enterrement, je pourrai m'occuper de ma petite fille. Maintenant, si je veux répéter mes phrases d'anglais pour pas les oublier, il faut que je vous laisse. Bonne nuit, mémère. À demain.»

    — On dira ce qu'on voudra, j'ai eu raison de t'asticoter pour que tu viennes chez nous. La campagne te donne des couleurs!

    — Hortense! Le bien que ça me fait d'être ici!

    — Si le cœur t'en dit, tu passes l'été avec nous!

    — Quelques jours de plus que prévu, peut-être?

    — Tant que tu voudras! Regarde la petite Marguerite. Crottée de la tête aux pieds, mais toute fière de travailler avec les enfants d'Omer.

    — Oui, le changement d'air lui fait du bien. Je pense qu'Arthur lui manque, même si elle n'en parle pas.

Et Hortense entendit qu'Arthur manquait désespérément à Florence même si elle n'en parlait pas. Elle garda le silence un long moment. Il n'y avait pas de mot pour combler ce vide épouvantable, elle le savait bien. L'ombre de Rose-Aimée l'enveloppa en douceur et elle reprit son rempotage avec plus d'allant.

    — Parle-moi donc de tes grands voyageurs!

    — Si tu les avais vus partir! On aurait dit un jeune couple avec son enfant. Tatiana a beau avoir quarante-cinq ans, on lui en donnerait à peine trente-cinq!

    — Et le beau Igor? Ça lui fait quel âge maintenant?

– Quarante-huit et l'air d'en avoir dix de moins, lui aussi.

– Comme ça, ils sont partis avec leur filleule pour un mois ?

– Oui ! Ils l'ont bien mérité, va ! Imagine à quel point ils vont profiter de leur bonheur à trois. La petite Élisabeth, c'est un peu leur enfant.

Tout autour, les enfants riaient. Le soleil dardait ses rayons sur les vitres de la serre et la chaleur ambiante créait l'illusion de l'été. Florence retira son lainage.

– Et Irène ? Partie dans les vieux pays, m'as-tu dit ? En quel honneur ?

– Un stage de perfectionnement, répondit Florence en imitant Irène. Avec le plus grand organiste de tous les temps, ma chère !

– Moqueuse !

– Quand j'ai su qu'un prêtre allait l'accompagner, je t'avoue que ça m'a rassurée. La France, c'est quand même pas le village d'à côté !

– N'empêche que c'est toute une chance pour elle que son Léopold l'ait laissé partir. C'est pas mon Louis qui aurait eu les idées aussi larges ! Pas même ton Arthur !

Florence pensa que Léopold n'était pas de taille à refuser quoi que ce soit à Irène et, une fois de plus, elle se demanda si sa fille ne l'avait pas épousé sans amour, dans le seul but de vivre sa vie comme elle l'entendait. Elle en eut un frisson et remit son lainage.

– Bon ! Si on veut manger à midi, on doit s'arrêter maintenant !

La tête levée vers le soleil du mois d'avril, profitant de ses rayons caressants, les deux femmes remontaient lentement l'allée qui menait des serres à la maison.

– Merci d'avoir tant insisté, Hortense. J'ose à peine imaginer dans quel état je serais si tu avais cru toutes mes excuses pour ne pas venir.

Hortense s'arrêta et fixa sérieusement Florence.

– Tu serais toute seule dans ta grande maison, à te ronger les sangs, tandis qu'ici tu peux te les ronger devant moi. Pourtant, il y aurait mieux à faire! Si, par exemple, tu me parlais du testament, tu penses pas que ça pourrait te soulager?

Florence ne put réprimer un sourire.

– Ma main au feu que j'ai visé juste!

Bras dessus, bras dessous, elles reprirent leur montée en riant.

– Si mon idée est bonne, Arthur a dû te mettre en charge des affaires et tu te fais des scrupules à cause de tes fils. Sinon, il y a belle lurette que tu m'aurais parlé de la succession!

Tout en s'affairant aux préparatifs du repas, elles continuèrent la conversation.

– C'est surtout Charles qui m'inquiète. Si seulement Arthur avait eu le courage de lui parler de ses intentions! Je lui en veux de m'avoir tout laissé sur le dos sans dire les choses clairement avant de mourir.

– Ton mari a mis tout son courage à mourir dignement! Tu ne peux pas lui reprocher ce manquement! Qu'aurais-tu fait à sa place? Tu penses qu'on peut mener deux combats de front quand on se bat contre la mort?

Les épaules de Florence s'affaissaient. De quel droit osait-elle faire le moindre reproche à Arthur? se demandait-elle à présent. Elle releva la tête, décidée à entendre jusqu'au bout les arguments de son amie.

– Je sais que tu as raison, Hortense, mais qu'est-ce que je fais de Charles? Tu penses qu'il me pardonnerait de prendre la présidence? Il croit qu'elle lui revient de droit, non seulement en tant qu'aîné de la famille mais à cause de son sentiment de supériorité sur les autres!

Hortense sortit de ses gonds.

– Ils ont quel âge, nos blancs-becs? Mon Omer vient à peine d'avoir ses trente-deux ans; c'est donc dire que Charles les atteindra à la fin de l'année. Laisse-moi te dire une chose : si on avait laissé la bride sur le cou de notre propre fils, Louis et moi, tu pourrais maintenant compter une dizaine de serres de plus derrière la maison ! Tu imagines dans quel pétrin on se serait retrouvé si on n'avait pas mis le holà à ses idées de grandeur ? Non, mais ! Ils n'ont pas même le nombril sec, nos jeunes, qu'ils voudraient tout régenter ! Comme ton mari n'avait pas l'habitude d'agir à la légère, dis-toi bien qu'il savait ce qu'il faisait en t'offrant la présidence.

Louis venait d'entrer et avait entendu les dernières phrases de sa femme.

– Sans vouloir me mêler de la conversation, dit-il timidement, c'est vraiment ce que souhaitait Arthur. Je le sais pour en avoir parlé avec lui, il y a un an ou deux. La seule chose qui l'embêtait, Florence, c'était de t'imposer sa volonté.

Dans les rues de Paris, des grappes de fleurs blanches pendaient aux marroniers et les jardins resplendissaient de couleurs sous le soleil. Les yeux pétillants, Irène marchait au bras de Philippe.

– Je veux retourner au jardin du Luxembourg ! s'écria-t-elle soudain.

– Encore ?

– Encore et encore ! Il ne fallait pas me dire «je t'aime» à la fontaine de Médicis.

– Tu n'as jamais été aussi belle !

– C'est la faute au printemps, à la douceur de l'air et à l'amour ! Et à l'illusion qui m'habite…

– Quelle illusion ?

– L'illusion que nous sommes mari et femme et que rien au monde ne viendra nous séparer.

– Illusion dangereuse, qu'il te faudra vite dissiper !

– Et si je n'y arrivais pas ? Dis-moi, Philippe, si j'étais prête à renoncer à tout pour toi, renoncerais-tu à notre sainte mère l'Église, ma rivale ?

Ils arrivaient au jardin par la rue de Vaugirard et leurs pas les menèrent tout naturellement vers la fontaine. Les branches des arbres se rejoignaient au-dessus du bassin, laissant à peine filtrer le soleil, juste ce qu'il fallait pour créer une ombre magique tout autour.

Philippe n'avait pas encore répondu à la question d'Irène et concentrait toute son attention sur les poissons rouges du bassin. Irène l'imita. Le silence entre eux s'éternisait, que seul le chant des oiseaux troublait.

– Il y a bien des façons de répondre à une question, dit finalement Irène. Le silence en est la manière la plus éloquente.

– Est-ce que je t'ai déjà menti, Irène ?

– Tu ne m'avais jamais dit «je t'aime» auparavant.

– Même si je demandais à être relevé de mes vœux, tu n'arriverais pas à quitter ta fille et ton mari. Nous sommes de la même trempe, toi et moi. Nous pouvons céder à la tentation, sans renoncer pour autant à nos valeurs profondes, à nos devoirs !

– De bien belles paroles. Ma foi, on croirait entendre un prédicateur du haut de sa chaire !

Irène tourna brusquement les talons et abandonna Philippe à sa contemplation des poissons rouges, l'air infiniment pensif.

– Mon père, je m'accuse de pécher par orgueil.

Derrière la grille du confessionnal, le prêtre souriait. De toutes les religieuses qu'il entendait une fois la semaine, celle-ci avait sa préférence. Il la reconnaissait aisément à sa voix rauque. Une âme intransigeante, pure et belle comme le cristal, considérait le vieux confesseur, qui ne doutait pas de son ascension rapide au sein de la communauté.

– De quel péché d'orgueil voulez-vous vous accuser, ma sœur?

– Je ne suis pas d'accord avec certaines décisions de ma Supérieure et j'imagine pouvoir régler ces questions beaucoup mieux qu'elle.

– Peut-être n'est-ce pas le fruit de votre imagination mais une constatation lucide? Où serait alors le péché?

– Dans le fait de me juger plus apte que la personne à qui je dois une parfaite obéissance.

– Lui avez-vous désobéi?

– J'ai obéi avec une trop grande révolte intérieure, mon père.

– Un jour viendra où vous-même, ma sœur, serez en position de force et aurez de graves décisions à prendre. Ce jour-là, souvenez-vous de cette confession et de la compassion que je vous suggère. La compassion envers vous-même, j'entends. Apprenez à vous juger moins sévèrement, afin que votre âme s'élève vers Dieu avec plus de légèreté et qu'ainsi votre entourage en bénéficie. Allez en paix sur cette réflexion, dit le prêtre en bénissant Jeanne, qui se signa avec plus de perplexité que de soulagement.

Dès son retour de Sainte-Dorothée et sans même attendre celui de Tatiana, Florence entreprit le grand ménage du printemps. Le travail physique l'aidait à organiser sa pensée. Sa décision n'était pas encore prise et elle souhaitait retourner la question sous tous ses angles avant d'accepter ou de refuser la présidence.

Pour tuer les microbes de l'hiver, elle avait étendu les couvertures de laine en plein soleil, durant de longues heures. Elle descendait à présent à la cave pour les entreposer, jusqu'à l'automne suivant, dans une armoire qu'elle avait précédemment garnie de branches de cèdre. Quand elle ouvrit les portes de l'armoire, elle faillit échapper sa pile de couvertures tant elle sursauta en y découvrant Marguerite.

– Pour l'amour du ciel! Qu'est-ce que tu fais là? C'est noir comme chez le diable!

Marguerite s'enfuit tel un animal traqué et vint trouver refuge dans la petite maison. Dans son atelier, juste à côté, Antoine travaillait. Les coups de marteau bien rythmés apaisèrent peu à peu l'enfant. Elle monta alors sur une chaise et s'appuya aux fenêtres donnant sur la rivière. Le fracas des glaces qui s'entre-choquaient emplissait sa tête de sons étranges. La rivière se déchaînait en se libérant de ses entraves, et, plutôt que d'inquiéter Marguerite, ce bruit sourd et sauvage la réconfortait.

– Quand les glaces vont partir, loin, loin, peut-être qu'elle va arriver dans une chaloupe? Elle va crier: «Marguerite! Marguerite!» Même si j'ai pas le droit de descendre toute seule au bord de la rivière, je vais descendre quand même! «Ma maman! que je vais crier, tu m'as trouvée!»

Ébahie, Laurence caressait le carton portant la griffe de Coco Chanel et n'arrivait pas à ouvrir la précieuse boîte.

– C'est pour aujourd'hui ou pour demain?

– Irène! Laisse-moi savourer chaque seconde! Qui d'autre que toi pouvait penser à me rapporter un tel cadeau? Sans l'avoir vu, je sais que je vais l'adorer!

Elle ouvrit enfin la boîte et recommença le même manège, écartant d'abord le papier de soie avec délicatesse, caressant du bout des doigts le tissu, puis le palpant avec vénération. N'y tenant plus, elle finit par extraire la robe de son papier d'un coup sec, en poussant un cri d'émerveillement.

– Irène! Je n'en crois pas mes yeux! C'est trop beau pour être vrai!

Laurence dansait au milieu du salon, la robe collée sur son corps.

– J'espère au moins que tu as pensé à toi! dit-elle en se figeant sur place.

– Évidemment! Tu me connais mieux que ça! J'ai d'ailleurs longtemps hésité entre ta robe et la mienne, mais celle-ci se marie parfaitement à ton teint.

– Il faut sortir! Nous faire voir!

– Que dirais-tu d'une réservation pour quatre demain soir à l'hôtel Queen's?

– Charles et Léopold auront l'impression d'accompagner deux grandes vedettes du cinéma qu'on vient d'arracher à leur dernier film! Heureusement que je n'ai pas encore pris de poids!

C'était la façon qu'avait choisie Laurence pour annoncer sa nouvelle grossesse à Irène, mais, loin de réagir, cette dernière semblait absente.

– Perdue dans tes souvenirs?

– Philippe m'a quittée.

En voyant le visage décomposé de sa belle-sœur, Laurence eut un choc. La même douleur insoutenable qu'une dizaine d'années auparavant s'y lisait, alors qu'Irène avait appris la mort de son professeur de piano, son beau Louis-Marie Desrosiers, et elle comprit l'étendue de son chagrin.

– C'est lui qui t'a quittée? demanda-t-elle sur un ton incrédule.

– Il me l'a dit ce matin au téléphone. Il a tout avoué à son Supérieur, et ce dernier s'empresse de le renvoyer en Europe. En Italie, ma chère, rien de moins! La belle franchise, ça mérite récompense, non?

– Incroyable!

– J'ai l'impression que mon cœur va éclater en mille morceaux. Je ne pourrai pas vivre sans lui, Laurence, comprends-tu ça? Je ne pourrai pas!

– On ne meurt pas d'un chagrin d'amour, tu le sais bien. On souffre à en mourir, mais on survit. Je veillerai sur toi, ma sœur-belle.

Irène sortit de chez Laurence en courant. La douleur était trop vive pour supporter la tendresse.

Après avoir épuisé toutes les excuses possibles, la Mère supérieure tendit une enveloppe à Florence, sur laquelle on pouvait lire : «Pour ma mère, Mme Grand-Maison.» Les lèvres pincées, elle l'ouvrit sans ménagement et se hâta d'en parcourir le contenu.

Je pars d'ici sans regret. Je vais apprendre à gagner ma vie, à me débrouiller toute seule. Soyez sans crainte, je tiendrai ma promesse et je ne dirai jamais rien à personne.

Je vous remercie de vous occuper de Marguerite. Je sais que vous en prendrez toujours grand soin. Papa me manque beaucoup mais je prie pour qu'il veille sur nous tous de là-haut.

Une fois par mois, j'enverrai une lettre à la Mère supérieure, qui se chargera, comme d'habitude, de vous la faire parvenir par l'entremise des religieuses du Bengale. Comme ça, toute la famille continuera de croire que je suis en terre étrangère. Au fond, c'est un peu la vérité, vous ne trouvez pas ?

Simone.

– Simone n'a pas pu agir seule, dit Florence en repliant la lettre.

– Tout récemment, on la voyait souvent en compagnie d'une jeune fille issue d'un milieu pauvre. Vous connaissez cependant notre politique, madame Grand-Maison, et vous savez que nous sommes tenues au secret. Je ne peux donc pas vous révéler son nom.

– Sans vouloir vous offenser, ma mère, mon mari prétendait que tout se négocie, dans la vie. Une œuvre comme la vôtre nécessite des rentrées d'argent, et ne dit-on pas que nécessité fait loi? Je saurai me montrer très discrète auprès de cette jeune fille, soyez-en assurée.

– Évidemment, vu sous cet angle…

Les rencontres à l'atelier avaient peu à peu repris leur cours normal, si ce n'est qu'Antoine se chargeait à présent de garnir la cache de boisson, derrière les pots de peinture, et que l'ombre d'Arthur planait lourdement sur lui, sur Igor et sur le docteur Dagenais, le soir venu.

Depuis sa mort, les conversations ne coulaient plus aussi aisément, mais aucun d'eux ne pouvait se résigner à mettre un terme à ce genre de rituel, tout comme s'il perpétuait en quelque sorte la mémoire du disparu.

Des commandes de meubles entraient régulièrement pour Antoine, car sa réputation d'ébéniste se taillait auprès d'une clientèle aisée que la récession n'atteignait pas. Dans ses temps libres, il sculptait des animaux de toutes sortes, qu'il posait sur les tablettes ou faisait pendre du plafond par de longs fils, ce qui donnait à son atelier un cachet particulier. Il excellait dans cet art, mais il l'exerçait avant tout pour combler le sentiment de vacuité qui l'habitait.

Âgé de vingt ans, il avait parfois l'impression d'en avoir le double et n'arrivait pas à s'en expliquer la raison. «Je ne connais rien de la vie, disait-il à Igor, et pourtant elle me pèse autant qu'une tonne de plomb sur les épaules.» Igor lui conseillait alors de sortir de son atelier, d'aller voir ailleurs ce qui s'y passait, mais Antoine y parvenait rarement.

L'instabilité économique mondiale et le climat de tension constant en Europe inquiétaient les trois hommes, mais le courant alarmiste qui se propageait les affectait beaucoup plus au niveau des idées que de la froide réalité européenne, et même canadienne ou montréalaise, aucun d'eux n'ayant à souffrir du chômage ou de restrictions budgétaires. C'est donc à l'abri de leur confort qu'ils réglaient certains soirs le sort de l'humanité, buvant quelques verres en trop et s'endormant sans crainte réelle du lendemain.

Dans le grand bureau du troisième étage de Max Beauvais, Florence attendait ses fils. Elle ne se rappelait aucun événement de sa vie ayant pu la mettre dans un tel état de nervosité et se demandait, à mesure que l'heure du rendez-vous approchait, si elle n'aurait pas mieux fait de les rencontrer à la maison. Quand la porte s'ouvrit sur eux, elle sut que nul endroit au monde ne pouvait convenir à ce qu'elle s'apprêtait à leur annoncer.

Assise derrière le bureau de chêne, elle les convia d'un geste à s'asseoir, ce qui leur évita de venir l'embrasser.

– Comme vous le savez, il me fallait d'abord rencontrer le notaire, qui devait être le premier informé de ma décision, car il détenait deux lettres, dont une seule devait m'être remise, selon une réponse positive ou négative.

Bien calé dans sa chaise, les yeux rivés à ceux de sa mère, Gérard ne bougeait pas d'un poil. Croisant et décroisant sans cesse les jambes, Charles alluma malencontreusement une cigarette du côté du filtre, chargeant aussitôt l'air de la pièce d'une odeur détestable.

– Gérard, tu serais gentil de nous servir à boire, dit Florence. Pour ma part, je prendrais bien un petit verre de porto.

Charles alluma une autre cigarette tandis que son frère servait un porto et deux scotch. Après une première gorgée, Florence reprit la parole.

– En recevant la lettre, j'ai eu la confirmation de ne pas avoir déçu votre père. Il ne voulait pas me forcer la main, disait-il, d'où sa décision de me laisser entièrement libre de mon choix, mais se félicitait d'avoir misé juste, puisque je tenais entre mes mains la lettre concernant une réponse affirmative.

Charles déposa rageusement son verre sur le bureau et se leva.

– Vous avez accepté? Vous avez accepté la présidence? demanda-t-il d'une voix étranglée.

– Je l'ai acceptée.

– Malade comme il l'était, vous croyez vraiment qu'il était en mesure de prendre une décision sensée?

– Charles! s'écria Gérard en se levant à son tour, tu dépasses les bornes!

– Vous pourrez consulter vous-mêmes les documents relatifs à cette question et vous constaterez qu'ils portent la date de l'année 1930. Il s'agit donc d'une décision prise avant sa maladie, alors que ton père, Charles, était en pleine possession de ses facultés physiques et mentales. Des documents inattaquables devant la loi, selon le notaire.

Charles détourna les yeux, comprenant que sa mère soupçonnait ses démarches auprès d'un avocat.

– Peut-être pourrions-nous décider maintenant d'une rencontre ultérieure? suggéra Gérard, qui ne supportait plus la tension.

Florence ne demandait pas mieux que de mettre fin à l'entretien, mais savait qu'elle ne pouvait pas les quitter sans leur avoir tout dit.

– Excellente idée! Si cela vous convient, rendez-vous dans une semaine, ici, à la même heure. Mais, avant de nous quitter, il me reste encore une chose à vous annoncer. Votre père me demande, dans sa lettre, de nommer Alfred Poulin à la vice-présidence, pour un mandat de trois ans.

– Quoi?

Le cri venait de Gérard et ébranla d'autant plus Florence qu'elle ne s'attendait pas à une réaction aussi forte de sa part.

– Un parfait étranger à la vice-présidence? Sommes-nous si peu dignes de confiance, Charles et moi? Devons-nous subir une telle humiliation?

– Alfred Poulin a servi les intérêts de la famille assez longtemps pour ne pas être considéré comme un parfait étranger! Votre père l'a pris à son service alors qu'il était tout jeune et il en a fait son bras droit en acquérant le magasin! C'est dire la confiance qu'il avait en lui! Et comment peux-tu parler d'humiliation, Gérard? Tu ne penses pas que ton père a plutôt souhaité une sage transition? Trois ans, ce n'est quand même pas la mer à boire! Et si, tout simplement, il n'avait pas voulu favoriser un de ses fils au détriment de l'autre? Tu serais alors bien mal placé pour le juger puisque, normalement, la vice-présidence aurait dû revenir à Charles!

– C'est exactement ce que je pense, dit Charles. Tu vois, mon vieux, le fardeau de l'humiliation me revient entièrement! Non seulement je ne suis pas digne de la présidence, mais, pire encore, je ne le suis même pas de la vice-présidence!

Florence se leva d'un bond, incapable de supporter plus longtemps cette discussion sans dire le fond de sa pensée.

– J'aurais pu comprendre votre déception, ça oui! Mais votre attitude? Jamais! Pour qui vous prenez-vous? Toi, Charles, capable de consulter un avocat pour faire casser le testament? Comment as-tu osé? Et toi, Gérard, révolté à l'idée de perdre la vice-présidence? Si tu avais espéré la présidence, j'en déduis que tu aurais réagi exactement comme ton frère!

– Nous sommes allés trop loin, dit Gérard en se levant.

– Trop loin? Vous êtes allés là où vous n'aviez aucun droit! Voilà ce que je pense!

Florence se dirigea vers la porte, puis se retourna vers ses fils, le visage défait. Elle ouvrit la bouche mais la referma aussitôt, comme si toute parole additionnelle dépassait ses forces. Elle se contenta de les regarder tour à tour et sortit sans refermer la porte derrière elle.

Gérard vida son verre d'un trait et Charles alluma une nouvelle cigarette. Ils restèrent un long moment sans parler, sans même se regarder. Gérard arpentait le bureau en hochant la tête, quand Charles se leva et lui dit :

— Bon ! Je commande des fleurs que j'adresserai à madame la Présidente, avec notre dévouement assuré. Ça te va ?

— Comme si les fleurs allaient tout effacer !

— Si tu as une meilleure idée, c'est le temps ou jamais ! De toute façon, la pente sera dure à remonter !

— Je voudrais savoir si tu as confiance en moi, Germaine.

— J'ai toujours eu confiance en toi, tu le sais bien.

— Une confiance aveugle ?

— Émile Beauchamp ! Par la même occasion, veux-tu savoir si je suis juste un peu stupide ou complètement stupide ? Depuis quand les femmes sont-elles censées avoir une confiance aveugle envers les hommes ?

Émile releva sa jambe de bois et la posa sur un pouf, puis appuya sa tête sur le dossier du fauteuil. Le froid et l'humidité de la ville augmentaient ses douleurs arthritiques, et au fil des ans le mal s'aggravait. Il ferma les yeux en espérant que le médicament, dont il doublait souvent la dose, agirait vite et lui permettrait de rassembler le plus clairement possible ses idées.

Germaine l'observait du coin de l'œil, sachant qu'il allait développer sa pensée. Elle attendait patiemment car elle connaissait sa souffrance, même si aucune plainte ne lui échappait. Elle avait appris à en reconnaître les signes par certains moments de silence où le simple fait de respirer semblait pénible à Émile, et par une façon qu'il avait de serrer les lèvres ou de frotter sa cuisse du plat de la main. Elle admirait sa force de caractère et le respectait trop pour oser le plaindre.

– Je me retrouve au beau milieu d'une situation délicate. Je dois aider une personne en difficulté, et, pour y arriver, j'ai besoin de temps et de liberté, sans pouvoir t'en rendre compte.

Germaine ne dit pas un mot et continua de tricoter comme si de rien n'était. Pourtant, Émile vit bien que le mouvement des aiguilles avait ralenti et comprit les réticences de sa compagne.

– Je ne pourrais pas supporter de te voir souffrir, Germaine, et je peux encore dire non. Par contre, si je devais refuser, je m'en voudrais pour le restant de mes jours.

Le mouvement des aiguilles reprit une certaine vitesse, mais Germaine perdit une maille et laissa retomber son tricot sur ses genoux.

– Si je parle de confiance aveugle, c'est pour te dire que ma démarche est honnête, qu'elle ne représente aucun danger ni menace et que tu donnerais toi-même le bon Dieu sans confession à cette personne. Le seul problème réside dans le secret absolu que j'ai juré de garder, parce qu'il n'y a pas moyen de faire autrement.

– Rien de mauvais ne pourrait advenir de cette histoire-là ?

– Au contraire, que du bien ! Je le jure sur la tête de ma mère, à qui j'ai déjà fait trop de mal pour oser jurer en vain.

Germaine déposa son tricot sur une table basse. La pelote de laine rouge lui glissa des mains et roula sur le plancher, jusqu'aux pieds d'Émile. Un long fil rouge les reliait à présent, tel un bon présage. Elle releva la tête et regarda Émile droit dans les yeux.

– Sais-tu au moins la dose d'amour qu'il faut à une femme pour accepter une folie pareille ?

Émile hocha la tête de haut en bas, la gorge trop serrée pour répondre. D'où lui venait cette chance incroyable qu'une femme de la trempe de Germaine l'aime à ce point ? se demandait-il, et par quel hasard du destin Florence l'avait-elle cru assez digne de confiance pour lui révéler un pareil secret et le charger d'une telle mission ? Oui, se disait-il, il allait retrouver Simone et remettre enfin son dû à sa sœur.

Il se cala dans son fauteuil et ferma les yeux. L'après-midi lui revint instantanément en mémoire, alors qu'il achevait la rénovation d'un logement. La surprise d'abord d'apercevoir sa sœur dans l'embrasure de la porte, la tête haute et le regard tellement dur qu'il s'était senti coupable d'un quelconque méfait. Les révélations de Florence ensuite, dont il ne se remettait pas encore. Les mots restaient gravés en lui, au point qu'il les entendait presque.

« Maman disait qu'il faut laver son linge sale en famille. À part toi, Émile, je ne vois vraiment pas devant qui je pourrais vider mon sac ! Seulement, tu dois me jurer, la main sur la Bible que j'ai apportée, que tu emporteras mon secret dans la tombe. »

Il avait juré, puis, sans jamais interrompre sa sœur, il avait écouté l'histoire de Simone, et il avait ensuite promis de la retrouver.

« Tu te souviens du jour où tu m'as demandé de travailler pour toi ? Ce jour-là, tu m'as permis de retrouver une partie de ma dignité d'homme, et je t'en serai toujours redevable.

– À ce moment-là, je t'en voulais encore de m'avoir fait perdre la face devant Arthur avec ton histoire de chargement de boisson vers les États-Unis. Pas tant pour l'argent que tu m'avais fait perdre que pour mon orgueil à ravaler ! Je t'avoue que, sans l'intervention de maman, jamais je n'aurais eu l'idée de te faire travailler pour moi.

– Son intervention ? En ma faveur ? »

Dans le regard de Florence, Émile avait lu cette fois de l'attendrissement. Sans doute comprenait-elle son chagrin, leur mère étant morte sans lui avoir adressé la parole une seule fois après son retour du Klondike sur sa jambe de bois.

«Penses-tu qu'elle m'avait pardonné?

– Elle a dû se piler sur le cœur pour ne plus jamais te parler. Tu sais bien à quel point elle t'aimait.»

De grosses larmes avaient roulé sur les joues d'Émile, qu'il avait laissées couler sans retenue. Florence avait tourné en rond dans la pièce, visiblement émue.

«Maman a laissé une lettre pour toi. Elle l'a écrite un mois avant de nous quitter, mais je devais te la remettre dix ans après sa mort, pas avant. Tu penses qu'elle m'en voudra si je devance un peu ses désirs?

– Maman avait le cœur aussi généreux que nos champs de blés d'Inde! Comment voudrais-tu qu'elle t'en tienne rigueur?»

Émile reprit contact avec la réalité du moment présent, sous la caresse des doigts de Germaine.

– Avec une confiance aveugle, murmurait-elle en essuyant les larmes de son homme.

Malgré le long trajet à parcourir, Simone prit l'habitude d'assister à la messe du dimanche dans la paroisse de sa famille. Elle s'installait dans la dernière rangée, se collait le long du mur sous la sixième station du chemin de la Croix et attendait l'arrivée de Marguerite, toujours accompagnée de Florence et d'Antoine.

Dès que sa fille entrait dans l'église, toute la souffrance de Simone disparaissait. Elle la suivait des yeux jusqu'à son banc et buvait ces quelques secondes avec un amour éperdu. Quand la foule des fidèles la cachait finalement à sa vue, elle priait pour elle avec ardeur.

Après la messe, une fois l'église vidée de tout son monde, elle montait l'allée centrale et prenait place sur le banc de la famille, à l'endroit même où Marguerite s'était assise. Les yeux fermés, heureuse après n'avoir rien souhaité d'autre que ce moment, elle se glissait dans la chaleur de sa fille.

Ce dimanche-là, en prenant la place de Marguerite, elle sursauta en apercevant le petit gant que celle-ci avait oublié sur la tablette du prie-Dieu. Elle le prit et y enfouit son visage, respirant l'odeur de sa fille à plein nez. Elle le promena ensuite sur ses lèvres, sur ses joues, s'en servit pour essuyer ses larmes et murmura :

– Tu l'as peut-être oublié exprès pour moi ? Crains pas, ma Marguerite, ta maman va le garder toute sa vie comme une vraie relique !

1933

L'HORLOGE venait tout juste de sonner le dernier coup de minuit. Bien calée dans son matelas de duvet, la tête appuyée sur les oreillers, Florence se concentra quelques instants avant d'ouvrir son journal.

«Mon premier jour de l'An sans toi, Arthur.» La plume lui tomba des mains, et elle ferma les yeux. L'absence devenait intolérable. «Apprends à pleurer, ma reine. Laisse les émotions te gagner, plutôt que de les enfermer au-dedans de toi.» Ces paroles d'Arthur, parmi les dernières, ressurgissaient, mais les larmes se refusaient. Elle reprit sa plume, décidée à faire coûte que coûte le bilan de l'année écoulée.

«Que de décisions importantes et éprouvantes! Doubler les tâches des employés ne représentait pas grand-chose en comparaison du congédiement de chefs de famille. Les temps sont durs et je n'avais pas le choix. Ma ligne de conduite m'aura valu l'approbation de mes fils et leur rapprochement graduel. Eux-mêmes travaillent d'arrache-pied et ne craignent pas les doubles ou triples emplois. Désaccord cependant sur l'achat d'une manufacture de sous-vêtements. Des caleçons! Des combinaisons! De quoi ternir notre image de prestige! Quelle clairvoyance de ta part, Arthur, en me faisant nommer Alfred Poulin à la vice-présidence! Une occasion en or, sur laquelle tu aurais sauté à pieds joints, soutient-il, tout comme moi. Je réglerai cette question d'ici peu.»

Florence avait souhaité remettre de l'ordre dans ses idées, tant sur le plan financier que familial, mais l'exercice de ce bilan s'avérait au-dessus de ses forces. Elle déposa son journal et sa plume sur sa table de chevet, éteignit la lumière et espéra le sommeil.

«Les enfants m'inquiètent, Arthur. À part Jeanne, ils me semblent tous désabusés. À leur âge! Si seulement tu étais là! Toute seule, je me sens impuissante à les aider. Et Simone! Je ne regrette pas d'avoir tout confié à Émile, même si mon orgueil en a pris un coup. Comment faire autrement? J'attends qu'il la retrouve et je jugerai de ce que je dois faire en temps voulu. Peut-être dirais-tu encore qu'il faut admirer son courage à se prendre en main? C'est le jour de l'An, Arthur, et je ne veux pas me mettre en colère. Souhaite-moi seulement une bonne année et le paradis à la fin de mes jours. Un paradis où tu ouvriras les bras pour que j'aille enfin m'y blottir. Tu me manques tant!»

Dès l'arrivée d'Émile, de Germaine et de ses enfants, la demeure des Grand-Maison résonna de «Bonne année!» et de petits becs en pincettes. Florence, Antoine, Marguerite, Tatiana et Igor se tenaient près de l'entrée, heureux d'accueillir les invités. Les bottes à peine rangées, la famille de Charles se présenta : Laurent, Pauline, Mado et Marie-Renée en tête, suivis de leur père qui aidait Laurence à monter les marches, son gros garçon de deux mois dans les bras. La famille de Gérard les talonna : Colette, Roger, Marcel et Liette tout heureux de retrouver leurs cousins, Gérard portant Raymonde dans ses bras, Antoinette à ses côtés.

Un tel brouhaha régnait que personne ne s'entendait. Les cris retentissaient déjà à travers toute la maison, car, vite déshabillés, la plupart des enfants soupesaient leurs étrennes au pied de l'immense sapin, essayant de deviner le contenu des boîtes multicolores. Seule Marguerite restait collée à la porte d'entrée, surveillant l'allée, d'où pouvait survenir un miracle.

À onze heures, avec l'arrivée d'Irène, de Léopold et d'Élisabeth, il ne manquait personne. Les premiers verres de vin, l'air surchauffé, les cris des enfants, le ton des adultes qui montait, sans parler des odeurs enivrantes parvenant de la cuisine, tout concourait à égayer l'atmosphère, malgré l'absence d'Arthur.

Tel que convenu entre eux, Charles et Gérard prièrent leur mère de les suivre au solarium. La nouvelle se répandit comme une onde de choc et le salon accueillit tous les membres de la famille dans un silence recueilli, chacun espérant que Florence accepte de perpétuer la tradition de la bénédiction. Le temps s'éternisait et les enfants recommençaient à s'agiter quand Antoine proposa soudain :

— Si on allait les rejoindre au solarium ?

Dans une approbation silencieuse, une étrange procession s'ébranla vers l'arrière de la maison. Face aux fenêtres donnant sur la rivière, Florence perçut un mouvement dans son dos et, en se retournant vers l'assemblée dont la prière muette l'atteignit de plein front, elle comprit qu'elle ne pouvait pas se dérober. Elle ferma les yeux un moment et les rouvrit sur une famille agenouillée qui la chavira complètement.

— Il est avec nous, s'entendit-elle prononcer. Il est avec nous et nous souhaite une bonne journée, une bonne et heureuse année. Je demande à Dieu la permission de vous bénir au nom d'Arthur, au nom du Père, du Fils, du Saint-Esprit. Amen.

Elle avait réussi à perpétuer la tradition de manière que chacun ressente la présence d'Arthur. L'émotion les garda tous à genoux jusqu'au moment où elle s'approcha de Charles et de Gérard pour les relever. Les embrassades dissipèrent le silence, et la famille se dispersa de nouveau à travers la maison. Seuls Igor et Tatiana restèrent auprès de Florence.

— Venez vite vous asseoir, madame, dit Tatiana en l'attirant vers la chaise du secrétaire. Tant d'émotions, déjà !

— Et une autre à venir, renchérit Igor qui, devant la pâleur de sa patronne, s'inquiétait de la mission dont l'avait chargé Arthur quelques jours avant sa mort, l'année précédente.

— Si vous le permettez, madame, je vous apporte d'abord un petit verre de cognac. Ça vous redonnera des couleurs.

— Apportez plutôt trois verres de vodka, Tatiana.

Florence joignit ses mains sur ses cuisses pour tenter d'apaiser ses tremblements. Igor prit l'écharpe posée sur le dossier de la chaise et couvrit ses épaules dans un geste très doux. Ils attendirent en silence le retour de Tatiana.

– Voilà! J'arrive!

– À la mode russe! proclama Igor dès que sa femme eut distribué les verres. D'un seul trait!

Florence ne put réprimer une grimace, ce qui fit rire les deux autres et détendit l'atmosphère. Igor tendit alors un joli paquet à Florence.

– De la part de votre mari, qui avait tout choisi lui-même, jusqu'au papier et aux rubans dorés.

– Avec cette carte, dit Tatiana à son tour. Je resterai de l'autre côté de la porte et je veillerai à ce que personne n'entre ici. Prenez tout votre temps.

Igor et Tatiana sortirent, laissant Florence les yeux rivés sur le paquet doré. Elle mit un long moment à reprendre ses esprits, puis déposa le paquet et serra la carte sur son cœur avant de l'ouvrir. Elle ne prêta aucune attention à l'illustration d'un sapin croulant sous la neige et vit d'abord danser les mots avant de pouvoir les lire.

Bonne année, ma reine! Bonne année, mon amour! Bonne année, ma Florence aux yeux lumineux! L'amour n'a pas de frontière, le sais-tu? Bonne année, ma toute à moi. Je te prends dans mes bras et je te garde bien au chaud. Laisse-moi te bercer. Ferme les yeux, je te berce encore, juste un moment de plus. Mon amour, mon bel amour, toujours.

Florence était secouée de sanglots. Le mélange de joie et de souffrance était tel qu'elle prit peur et cria :

– Tatiana!

Tatiana fut auprès d'elle aussitôt et la prit dans ses bras.

– C'est trop, Tatiana ! C'est trop ! C'est trop ! Et pas assez !

– Pleurez, madame, pleurez. Oui, c'est trop de bonheur et de malheur en même temps. Voilà ce que nous craignions, Igor et moi.

Florence se ressaisit, mal à l'aise de s'être ainsi abandonnée. Elle sortit un mouchoir de la manche de sa robe, s'épongea les yeux et sourit à Tatiana.

– Voulez-vous rester avec moi ? Le temps que j'ouvre mon cadeau et que je me remette de mes émotions ?

Florence défit l'emballage minutieusement, prenant soin de garder intacts le papier et les rubans dorés. Elle ouvrit l'écrin de velours et découvrit un camée. Le relief de la pierre ressortait si finement qu'on eût dit une œuvre de grand maître en miniature. Les deux femmes admiraient le bijou, passant chacune tour à tour une main délicate sur le visage parfait.

– Permettez-moi de l'épingler à votre robe, madame.

– Je porterai ce bijou une fois l'an, Tatiana. Tous les jours de l'An à venir, je relirai la carte d'Arthur et vous épinglerez mon camée sur ma robe. Nous fêterons ce moment avec un verre de vodka, Igor, vous et moi, juste après la bénédiction. Vous voulez bien ?

Tatiana acquiesça, les yeux plein de larmes, laissant monter vers la Vierge de tendresse toute sa reconnaissance pour l'amour de son bel Igor, bien vivant.

La journée se déroula ensuite comme à l'accoutumée. On déballa les cadeaux, on mangea trop, Émile chanta au plus grand plaisir de tous, les enfants se chamaillèrent et les parents commencèrent à sortir de leur léthargie aux alentours de quatre heures. L'horloge allait bientôt sonner, pour rappeler le coup de téléphone de Zélia et Auguste Richard et raviver le souvenir de leur disparition, et Arthur ne serait pas là pour emmener Florence au solarium afin de se recueillir avec elle en mémoire de leurs amis.

La tension montait au salon à mesure que la grande aiguille se rapprochait de l'heure fatidique, et personne pourtant ne réagissait. Au premier coup de quatre heures, la voix de Florence enterra les coups suivants.

– C'est la pluie d'or! C'est la pluie d'or! Allez, les enfants, allez! C'est la pluie d'or!

Les adultes restèrent d'abord cloués sur leur siège et réalisèrent ensuite que les enfants semblaient comprendre ce cri de ralliement, car ils descendaient tous à la cave en riant et en se bousculant. Ils vinrent donc s'installer derrière Florence qui, du haut de l'escalier, plongeait la main dans le fond de son tablier blanc et lançait à pleines poignées des sous neufs dont le cuivre étincelant rappelait l'éclat de l'or. Dans la cave, les enfants ramassaient les sous en poussant des cris de joie.

De là-haut, Florence était belle, sa pluie d'or tombant sur ses petits-enfants émerveillés. Les adultes riaient, soulagés du moment dramatique ainsi évité. Fasciné, Gérard jeta un dernier regard sur sa mère, puis retourna au salon. Du plat de la main, il caressa au passage la grande horloge qui n'en finissait pas de marquer le temps.

La neige tombait mollement et se posait sur les champs comme à regret. C'est à tout le moins la sensation qu'éprouvait Malvina derrière la fenêtre, hypnotisée par cette chute de gros flocons informes. «Ma grande foi du bon Dieu, soupira-t-elle intérieurement, quand on arrive à penser que la neige peut regretter de toucher le sol, c'est qu'on a soi-même un problème... Ou un regret au fond du cœur.»

– Ça va pas, ma femme?

Malvina sursauta. Elle n'avait pas entendu Mathieu venir et elle s'en voulut qu'il la surprenne ainsi en pleine morosité.

– Pourquoi ça irait pas? demanda-t-elle sur un ton bourru.

– Quant à ça…

Mathieu s'était rapproché de Malvina et l'avait enlacée par la taille. Ils restèrent à la fenêtre longtemps, sans parler, sans bouger, se contentant de regarder la neige tomber comme si rien d'autre ne comptait, que ce moment tendre et blanc. Malvina émit finalement un soupir et Mathieu retira sa main de la taille de sa femme, le cœur soudainement étreint par une tristesse profonde.

– En vieillissant, tu trouves pas qu'on devient plus frileux ? demanda-t-il songeusement. Pas seulement dans nos corps mais aussi par en dedans, ajouta-t-il en se touchant le cœur.

– Je pensais que c'était juste des affaires de femmes, ces choses-là.

– Ben non ! Tu vois, suffit d'une neige toute molle, pis ma femme à la fenêtre, toute chavirée, pour que les sangs me virent à l'envers. Depuis le temps, Malvina, c'est comme si tu déteignais sur moi. C'est pas parce qu'un homme parle pas qu'il comprend pas. C'est juste que, des fois, il a peur des mots. Il a même peur de les penser, c'est dire ! Seulement, faut pas croire qu'il comprend pas, pis qu'il souffre pas.

– En tout cas, j'espère au moins que cet homme-là s'imagine pas des affaires qui existent pas !

Malvina avait lancé sa boutade en souriant, pour alléger la conversation, mais les paroles de Mathieu l'avaient profondément touchée. Tout en s'activant pour préparer le souper, elle se répétait, comme pour s'en convaincre, que si elle avait poussé Raoul à marier la veuve Grolo, elle n'avait pas à le regretter maintenant que la date était fixée. Elle levait de temps en temps les yeux sur Mathieu, de peur qu'il lise ses pensées, mais ce dernier se berçait devant le poêle, l'air absent.

Elle revenait alors à ses chaudrons en se traitant de folle, puis se reprenait à penser à Raoul. «Une seule fois, se dit-elle finalement, une seule et dernière fois, avant son mariage. Avant qu'un de nous deux disparaisse. C'est pas trop demander à la vie, me semble !» Malvina rougit, rien que d'y penser. «Demain, ma belle

Louisa, qu'il mouille, qu'il neige, qu'il fasse tous les temps, tu vas me voir arriver au cimetière. Si quelqu'un peut me mettre du plomb dans la tête, c'est bien toi!»

Émile retrouva Simone durant la dernière semaine du mois de janvier. Il l'aurait retrouvée bien avant si les ordres de Florence n'avaient pas été aussi stricts. «Cette jeune fille, cette Lucienne Larose, avait-elle dit, finira bien par te mener jusqu'à elle. En attendant, Émile, use de la plus grande discrétion.»

Émile observait à présent sa nièce tandis qu'elle descendait le grand escalier d'un appartement cossu de la rue Hutchison. Il la suivit jusqu'à la rue Laurier avant de l'aborder.

– Bonjour, Simone.

– Mon oncle Émile! Qu'est-ce que vous faites par ici?

– D'après toi, Simone, qu'est-ce que je fais par ici?

Simone regardait son oncle avec de grands yeux étonnés, la bouche entrouverte.

– On dirait que tu sors d'une boîte à surprise. Tu n'as pas pensé que ta mère s'inquiéterait? Qu'elle voudrait avoir de tes nouvelles?

Le visage de Simone se referma aussitôt, mais elle ne baissa pas les yeux devant son oncle et redressa même les épaules avant de lui parler.

– J'ai dépassé l'âge de raison, mon oncle, et je gagne ma vie honorablement, sans l'aide de personne! C'est ça qui dérange ma mère? Que j'arrive à me débrouiller toute seule?

Émile aurait voulu lui demander de se mettre à la place de sa mère, d'imaginer dans quel état elle se retrouverait si elle ne savait pas sa Marguerite bien au chaud dans un bon foyer, mais Simone devait ignorer qu'il était au courant, Florence ayant été formelle à ce sujet-là aussi.

– Ta mère s'inquiète, un point c'est tout! Et qu'une mère s'inquiète à propos de son enfant me semble assez normal. Les malentendus entre vous deux, c'est votre affaire, mais, quand je vois ma propre sœur se rendre malade, ça devient mon affaire à moi! Comprends-tu ça?

Le ton d'Émile était sévère et prenait aux oreilles de Simone les accents de sa mère. Elle frissonna, releva le col de son manteau et fixa le ciel comme si elle en attendait une aide immédiate.

– Elle veut te rencontrer.

– Pourquoi?

– Regarde-moi, Simone. Penses-tu que je suis venu au monde avec une jambe de bois? À partir du moment où j'ai dû vivre avec mon infirmité, crois-tu vraiment que je pouvais passer le reste de mes jours sans l'aide de personne? C'est pareil pour toi. Tu es sortie du nid, tu voles de tes propres ailes, c'est bien beau! Pourtant, peux-tu être certaine que tu voleras jusqu'à la fin de tes jours sans jamais te briser une aile? Vient toujours un moment où la vie nous force à tendre la main et nous oblige à courber l'échine pour accepter l'aide des autres. Mieux vaut le faire avec élégance!

À l'aide de son unique béquille, Émile tournoya alors sur sa jambe valide et fit quelques pitreries qui déridèrent Simone.

– Tu vois? On peut toujours s'en sortir. Mais, si tu coupes les ponts, tu vas te rendre compte que c'est bien difficile de traverser la rivière à la nage. Rencontre ta mère et explique-lui ce que tu entends faire de ta vie. À partir de là, vous trouverez bien un terrain d'entente, tu penses pas?

– Un terrain d'entente? Avec ma mère?

– Qu'est-ce que tu préfères? Qu'elle se rende chez tes patrons? Vaudrait pas mieux que tu prennes ton courage à deux mains et que tu la rencontres ailleurs?

Simone acquiesça et le rendez-vous fut fixé. Émile aurait voulu prendre sa nièce dans ses bras, la réconforter, mais il n'osa pas. Il la regarda s'éloigner, la tête basse, les épaules rentrées, «l'air d'un petit chien battu», pensa-t-il alors qu'elle se retournait et lui adressait un sourire triste.

Chez Laurence, la salle de couture ressemblait à s'y méprendre à l'atelier de Mme Yvette Brillon, la chapelière la plus en vogue de Montréal. Irène et Laurence fréquentaient sa boutique et achetaient parfois ses chapeaux. Néanmoins, elles s'y rendaient plus souvent qu'autrement par plaisir et empruntaient par la même occasion les idées à la mode.

Elles s'étaient munies de formes, de feutres, de fourrures, de galons de velours, de laine, de rubans colorés, de plumes à transformer en aigrettes, de perles et ornements de toutes sortes, et s'amusaient follement à se confectionner les chapeaux les plus excentriques qui soient. «L'an passé, Irène débordait d'imagination», pensait Laurence en l'observant à la dérobée alors qu'elle déroulait inutilement un liséré de soie.

– Si j'avais ton talent, Irène, j'utiliserais mes doigts à autre chose. Ça fait combien de mois que tu ne touches plus l'orgue?

– Ça fait neuf mois, dix jours, plusieurs heures et des milliers de secondes que je n'y pense même plus. Depuis le jour où Philippe m'a quittée.

Laurence rageait de la voir se détériorer sous ses yeux et s'en voulait de ne pas trouver les mots pour la sortir de ce marasme.

– Tu sais que ta mère m'a téléphoné pour me demander ce qui t'arrivait? Je t'avoue que l'idée de tout lui raconter m'a traversé l'esprit.

– Laurence! Veux-tu ma mort?

– Parce que tu te crois bien vivante, là, présentement? C'est quand même elle qui a réussi à te guérir, il y a trois ans, alors que ton cas semblait désespéré. Peut-être saurait-elle encore cette fois-ci. Moi, je ne sais plus quoi faire de toi. Je ne sais plus quoi dire. Je me sens tellement impuissante ! Sais-tu aussi que Léopold se plaint de toi à Charles qui, à son tour, me harcèle de questions ? Sans parler de Tatiana !

– Qu'est-ce qu'elle dit, Tati ?

– Demande plutôt ce qu'elle ne dit pas et je te parlerai des questions muettes au fond de ses yeux, celles qu'elle ne pose pas mais qui la tourmentent !

Laurence arpentait la pièce, en proie à une colère sourde qu'elle tentait de refouler depuis des mois. Tout en la regardant faire les cent pas, Irène pensa que l'abandon de l'homme aimé, déjà si difficile à supporter, ne suffisait pas. Elle devait, de surcroît, porter la culpabilité de l'inquiétude infligée à son entourage. Ses épaules s'affaissèrent et le rouleau du liséré de soie lui échappa des mains.

– Pour l'amour du ciel, regarde-toi, Irène ! On dirait une ombre ou une caricature de toi-même ! Et tout ça pour un homme ? Un homme ni chair ni poisson ! Réalises-tu que tu laisses régenter ta vie par quelqu'un qui se tient le cul entre deux chaises ? Oui ! Le cul entre deux chaises !

La colère de Laurence avait enfin éclaté et plus rien ne la retenait. Elle prit deux chaises, s'installa au beau milieu, les fesses dans le vide, et commença à se dandiner dangereusement.

– À chaque fois que tu penses à lui, figure-le dans cette position, juste pour voir si tu vas continuer à l'aimer longtemps ! Une fesse du côté de la prêtrise, une fesse du côté des femmes !

– Si j'ai l'air d'une caricature, s'esclaffa Irène, tu devrais te voir l'allure !

Laurence avait du mal à se remettre de sa sortie, mais elle finit par rire autant qu'Irène.

– Le moins que je puisse dire, c'est que tu possèdes l'art de mimer les figures de style ! Tu veux le refaire ?

Irène riait et cela seul comptait pour Laurence, qui avait l'impression de retrouver son amie, tandis que le rire redonnait à Irène le goût de Philippe.

En plus d'avoir les jambes comme de la guenille, Simone avait l'impression que le cœur lui battait dans les oreilles. En apercevant le restaurant, elle pensa ne jamais pouvoir traverser la rue, ce qu'elle fit pourtant. Mais, une fois rendue à la porte, elle passa tout droit et continua son chemin jusqu'au coin suivant. «J'ai peur, mémère, j'ai peur», ne cessait-elle de répéter. Elle resta clouée sur place un moment, incapable d'avancer ou de revenir sur ses pas. Dans sa nervosité, elle avait oublié ses gants, et ses mains commençaient à geler. Elle les enfouit au fond de ses poches de manteau et sentit sous l'une d'elles le petit gant de Marguerite. Elle le serra très fort et retrouva juste assez de courage pour repartir vers le restaurant. Avant d'entrer, elle vit son reflet dans la vitrine, se trouva blanche comme un drap et l'air d'une pauvresse, malgré la propreté de ses vêtements. Dans un effort surhumain, elle releva la tête, entra et se dirigea vers la table où l'attendait sa mère.

– Bonjour, Simone.

Simone se contenta d'un petit signe de tête en s'assoyant face à Florence.

– Tu veux manger?

– Je n'ai pas faim, je vous remercie, mais je prendrais bien un chocolat chaud.

Florence et Simone buvaient en silence, à petites gorgées qui leur brûlaient la langue.

– Tu as l'air bien, mentit finalement Florence.

– Vous aussi, répondit Simone qui avait à peine levé les yeux sur sa mère.

– Tu as de bons patrons? Ils te traitent bien?

– Oui.

– Ils te nourrissent bien?

– Très bien.

Ces quelques phrases semblaient les avoir épuisées. En même temps, elles feignirent de se concenter sur leur tasse.

– Si tu as besoin d'argent, de vêtements ou de quoi que ce soit, n'hésite pas à le demander. Tu pourras toujours passer par ton oncle Émile. Tu as son adresse et son numéro de téléphone?

– Oui, mais vous n'avez pas besoin de vous inquiéter pour moi. C'est très généreux de m'offrir votre aide, mais je me débrouille très bien. Je vous assure que tout va pour le mieux.

Simone s'arrêta net, prise de vertige à l'idée qu'en parlant trop elle finirait par demander des nouvelles de Marguerite et que sa mère, au bout du compte, découvrirait qu'elle se rendait tous les dimanches à leur église.

– Je te demande une seule chose, Simone. Si tu changes d'emploi, je veux connaître ta nouvelle adresse. Est-ce trop te demander?

– Je n'y manquerai pas, je vous le promets.

– Je voudrais aussi que tu prennes cette enveloppe. Tu me blesserais en la refusant. Tu pourras en profiter pour t'acheter de nouveaux vêtements; ceux-là ont fait leur temps, dit Florence en désignant le manteau de Simone.

Simone tendit la main vers l'enveloppe en refoulant ses larmes. Elle se sentait humiliée et ne voulait pas de l'argent de sa mère, mais elle craignait trop sa réaction pour refuser.

– Je vous remercie.

Florence avait enfilé son manteau et ses gants. Elle se tenait maintenant debout à côté de la table, hésitante.

– Tu n'as pas à t'inquiéter pour Marguerite. C'est une bonne enfant et elle réussit bien en classe.

– Merci de tout ce que vous faites pour elle, parvint à balbutier Simone.

– Bonne chance, ma fille.

Simone fut incapable d'ajouter un mot. Elle laissa partir Florence sans la regarder et attendit un long moment avant de sortir à son tour.

À l'air froid et piquant, elle sentit la vie revenir en elle. «Marguerite est une bonne enfant et elle réussit bien en classe», se répéta-t-elle, les larmes aux yeux. Les mains dans ses poches, elle serra le gant de Marguerite d'une part, l'enveloppe de l'autre.

Elle la sortit et compta l'argent. En remettant l'enveloppe dans sa poche, Simone pleurait à chaudes larmes. «Elle m'a donné plus d'argent que je ne pourrais en gagner dans toute une année, mémère. Vous voyez bien qu'elle n'a pas confiance en moi! Elle pense que je n'arriverai pas à me débrouiller toute seule! Vous avez vu comment elle m'a forcé à le prendre? Pensez-vous que j'étais dans une position pour refuser? J'avais seulement mon orgueil, mémère, et elle m'a même enlevé ça!»

Après avoir reçu des mains de Florence la lettre promise, Émile décida d'aller la lire à l'endroit où il s'était réfugié pour pousser de longs cris libérateurs, quelques années auparavant. C'est à partir de ce moment-là que la soif l'avait quitté et que le cri de l'homme, poussé au fond d'une crevasse noire et profonde, avait cessé de le hanter. L'amour de Germaine avait pourvu au reste de sa réhabilitation et, au fil des ans, il avait appris à se pardonner.

Le froid de février était sec, ce qui le rendait supportable. Émile s'était d'ailleurs habillé en conséquence et ne craignait pas de geler tout rond, d'autant plus que la lettre de sa mère lui réchauffait le cœur, à tel point que les larmes lui piquaient les yeux avant même qu'il en ait lu un seul mot. «Maudit verrat!» maugréa-t-il, chemin faisant. «Me voilà rendu aussi braillard qu'une femme!»

Ce petit coin de pays, son refuge, n'était pas à ses yeux le plus bel endroit du monde, il en avait vu de plus spectaculaires, mais le plus cher à son cœur et aux souvenirs de son enfance. Une route y menait à présent, à cause de nouvelles habitations longeant la rivière, mais il bifurqua juste avant pour le plaisir de piquer à travers les bois, là où il posait autrefois des collets pour attraper des lièvres, dont sa mère raffolait. Il sourit à l'idée des pistes fraîches qu'il cherchait, des nœuds coulants qu'il tendait, et saliva en pensant aux ragoûts que cuisinait Adélaïde.

À sa grande déception, il constata bien vite l'impossibilité de se rendre à la clairière sur une seule jambe, car, en piquant sa béquille dans la neige, elle s'enfonça mollement jusqu'à la traverse. Il se fit une raison et sortit de son havresac une couverture de laine, la plia en quatre et s'assit au pied d'un arbre à l'orée du bois. Puis, le cœur battant, il sortit la lettre de sa poche et la déplia avec délicatesse comme il l'eût fait d'un billet doux longtemps espéré.

L'écriture de sa mère avait beaucoup changé, mais il se rappela qu'elle lui avait écrit dans la quatre-vingt-unième année de sa vie, ce qui expliquait la transformation des lettres jadis si rondement formées.

Mon Émile!

Tu pourrais m'accuser de tous les maux, mais tu ne pourrais jamais m'accuser de ne pas t'avoir aimé! Si faute il y a eu de ma part, ce serait justement de t'avoir trop aimé. Quand une chose pareille arrive, on ne peut rien faire pour l'arrêter. En venant au monde, tu avais déjà le sourire fendu jusqu'aux oreilles! Qu'est-ce que tu veux qu'une mère fasse devant ça? Rien d'autre que de sentir le bonheur dans tout son corps, puis d'avoir juste envie de sourire, elle aussi.

À mesure que tu grandissais, tu trouvais toujours le moyen de me faire rire. Un jour où j'étais particulièrement triste, je pense que c'était juste après la naissance de Florence, j'avais pleuré en me croyant toute seule. Pourtant, tu m'avais vue, caché derrière la porte à m'espionner comme tu le faisais souvent. Sans faire ni une ni deux, tu es entré dans ma chambre en faisant des pirouettes, et, dans le temps de le dire, tu m'as sauté dessus et tu m'as tellement chatouillée que j'en ai ri aux larmes. Ensuite, tu m'as forcée à te suivre dans la grande chambre du haut, celle que toi et tes frères deviez partager, et tu as sorti une boîte en fer-blanc de dessous ton matelas. En fouillant à travers tes trésors, tu as dégoté un bonbon que tu avais trouvé Dieu seul sait où et quand, parce que ça goûtait le diable! N'empêche que ce bonbon-là, Émile, je ne l'ai jamais oublié. Tu m'offrais ce que tu avais de meilleur pour me faire oublier mon chagrin. Comment veux-tu qu'une mère résiste à un enfant comme ça?

Évidemment, avec le temps, ça s'est gâté un peu. En vieillissant, tu m'as fait pleurer plus souvent qu'à mon tour. C'est chose du passé, maintenant! Ce matin, en m'éveillant, j'ai eu le sentiment très net que mes jours étaient comptés. J'ai alors pensé que je ne pouvais pas partir sans te dire le fond de ma pensée. Te dire, par exemple, le mal que j'ai ressenti en réalisant que tu étais éclopé pour la vie. C'est tout comme si on m'avait arraché un morceau de cœur et j'ai préféré me retirer sans dire un mot, parce que la douleur était trop forte.

Une fois dans ma chambre, j'ai réfléchi et j'ai su que tout ce que je pourrais t'apporter serait de la pitié, un sentiment indigne de mon fils que j'aimais tant, malgré les erreurs et les errances. J'ai donc décidé sur-le-champ de ne plus t'adresser la parole, plutôt que de te parler en larmoyant, ce qui aurait eu pour effet de te ramollir, tandis que mon silence pouvait te pousser à me prouver que tu étais capable de t'en sortir. Dis-toi bien que, pour y arriver, j'ai dû me faire violence plus d'une fois! Qu'importe! Jusqu'à présent, il me semble que ma décision a été la bonne puisque, tous les jours, tu t'acquittes de tâches difficiles et que tu les mènes parfaitement à terme. Quand Florence me parle de toi, de la satisfaction qu'elle éprouve à t'avoir engagé, c'est un cadeau de l'entendre et je remercie Dieu de t'avoir donné le courage nécessaire à ta réalisation en tant qu'homme. Un homme dorénavant capable de se tenir sur ses deux jambes, malgré les apparences.

Je suis fière de toi, mon Émile, fière comme tu ne saurais jamais l'imaginer. Reste debout malgré les épreuves, reste droit et fier envers tous les coups durs que la vie t'a infligés et envers ceux qu'elle pourrait encore te réserver.

Je te souhaite une belle et bonne vie, mon fils. Comme toujours, même de loin, je continuerai de veiller sur toi. Peut-être, après tout, que l'autre côté est beaucoup plus près qu'on ne le pense et qu'il se trouve juste un peu dans l'ombre. Maintenant que tu as ma lettre entre les mains, dis-toi bien que je viens de sortir de cette ombre pour t'apporter du réconfort. Quand la vie sera trop dure à ton endroit, relis ces mots et retrouve, inscrit entre chaque ligne, l'amour immense qui me rattache à toi.

Ta mère,

Adélaïde Beauchamp.

Les larmes d'Émile coulaient d'abondance, sans provoquer ni sursaut ni hoquet, mais le libérant d'un poids plus lourd encore qu'il ne l'avait imaginé. Il relut la lettre plusieurs fois, se releva, puis répéta à voix haute la phrase qui l'avait le plus touché.

– Un homme dorénavant capable de se tenir sur ses deux jambes, malgré les apparences.

Le mariage de Raoul et de la veuve Grolo était finalement prévu pour le troisième samedi du mois de juin. «Dans un mois», soupira Malvina en fichant une branche de pommier en fleurs dans la terre.

«Un mois, Louisa, te rends-tu compte? Là où tu es, peut-être que ça te fait pas un pli sur la différence, mais, à moi, sais-tu ce que ça me fait? Parce que moi, vois-tu, je suis pas devenue un pur esprit! Je suis en chair et en os, moi! Plutôt en chair, sans vouloir t'offusquer. Même que je la sens frissonner comme c'est pas possible à mesure que la date du mariage approche. Peux-tu m'expliquer pourquoi j'ai été capable de me contrôler durant toutes ces années et que là, maintenant qu'il va enfin se caser, j'y arrive plus?»

Malvina se pencha et huma les fleurs avec délices.

«Ça sent tellement bon. J'espère au moins que vous avez des odeurs semblables, de votre côté. Pour en revenir à mes moutons, j'ai beau essayer de me raisonner, rien à faire! J'ai juste une idée en tête et ça me vire les sangs à l'envers. Chaque jour, j'échafaude un nouveau plan, et c'est pas les idées qui manquent, crois-moi! Faut dire que les occasions se font rares. Pis, quand c'est pas les circonstances qui défont mes plans, les plans se placent pas dans les bonnes circonstances. À force de chercher, crains pas que ça va finir par arriver! Pourtant, il y a des jours où ça se calme. Quand Mathieu m'observe avec ses beaux grands yeux tristes, par exemple, ou quand je viens te voir. Le problème, c'est que ce serait mal aisé de te rendre visite pour un oui ou pour un non. Ma pauvre Louisa! Comme si t'avais juste ça à faire, m'écouter chialer sur mon triste sort, à propos d'histoires pas racontables concernant ton mari, en plus! Faut dire que, plus les années passent, plus j'oublie que Raoul était ton mari. C'est comme ça, j'y peux rien.»

Lasse tout à coup, Malvina finit par s'asseoir à même le sol, adossée à la pierre tombale où le nom de Louisa était gravé sous ceux des Grand-Maison qui l'avaient précédée : Zoé, Eugène, Marie-Ange et Aimé.

«À part se battre, qu'est-ce qu'on fait dans la vie? On se bat contre le manque d'argent, contre l'envie de passer des heures à se tremper les pieds dans l'eau du ruisseau au lieu de trimer dur toute la journée. On se bat aussi contre le temps qui nous fait vieillir, pis on vieillit quand même! On se bat contre nos désirs, pis nos désirs finissent par nous dévorer. Pourquoi on se bat tout le temps, Louisa? J'en peux plus de me battre comme ça. Ça nous mène où? Ça nous donne quoi? Ça nous mène au ciel? Avec une auréole sur la tête? Tu veux savoir comment je vois ça, moi, le paradis? C'est un verger de pommiers en fleurs, à perte de vue, avec des pétales qui tombent comme une belle neige douce et qui sentent tellement bon que ça monte à la tête, comme le rosé qu'Adélaïde nous servait, tiens! Le paradis, c'est Raoul pis moi couchés sous les pommiers, quand la flamme est apaisée, à regarder pis à sentir les pétales qui nous tombent dessus.»

Adossée à la pierre tombale, le soleil de mai en plein visage, Malvina n'avait plus envie de quitter le cimetière. Les yeux fermés, elle s'abandonnait à sa rêverie d'un paradis de pétales blancs.

Florence partageait les quatre premiers jours de la semaine entre les manufactures et le magasin et se réservait le vendredi pour travailler à la maison. Enterrée sous une pile de dossiers, elle s'installait au solarium, où Antoine lui avait fabriqué une table selon ses besoins. L'acquisition de la manufacture de sous-vêtements demandait encore beaucoup de réorganisation, et, en s'attaquant à la tâche, ce jour-là, elle se promit de régler plus d'un problème.

Au bout d'une heure de concentration, elle s'arrêta pour écouter les bruits de la maison. Une tranquillité anormale y régnait, ce qui la rendit subitement inconfortable. «Tatiana ne chante plus», réalisa-t-elle au bout d'un certain temps. «Plus de chant, plus d'entrain. Sans parler de sa pâleur... Mon Dieu! J'espère qu'elle n'est pas malade!» Elle laissa son travail en plan et décida d'en avoir le cœur net. Elle la trouva à la cuisine en train de couper des légumes, l'air absent.

– Que diriez-vous d'un bon breuvage chaud?

– Je le fais tout de suite, madame.

– Vous ne faites rien du tout, Tatiana. Vous vous arrêtez un peu et vous vous laissez servir. Je pense que vous travaillez trop fort depuis que j'occupe la présidence. Vous devriez prendre quelques jours de repos.

– Vous avez bien assez de vos propres inquiétudes sans vous préoccuper de moi. Je suis un peu fatiguée mais ça va passer.

Florence servit du lait chaud sucré, accompagné de biscuits secs. Elles aimaient toutes deux tremper les biscuits dans le liquide chaud quand elles se retrouvaient seules. Elles ne parlaient pas, mais Florence observait Tatiana, de plus en plus inquiète des changements qu'elle venait tout juste de déceler. Inconsciemment, elle associa la situation présente à la maladie d'Arthur.

– J'aimerais que le docteur Dagenais vous examine. Me permettez-vous de lui téléphoner?

Tatiana se mit à pleurer tout doucement, «comme une petite fille prise en faute», pensa Florence.

– Tatiana! Savez-vous la place que vous avez prise chez nous? Vous faites partie de la famille, vous et votre mari. Pensez-vous qu'il n'est pas normal de se préoccuper d'un membre de sa famille s'il semble mal en point?

– Je suis un peu plus fatiguée que d'habitude, c'est tout.

– Fatiguée au point de pleurer? Tatiana, qu'est-ce qui se passe?

– Je pense que c'est mon retour d'âge, madame. Je ne voulais pas en parler, pas même à Igor, qui s'inquiète lui aussi. Je ne voulais pas en parler parce que je sais maintenant que la Vierge de tendresse ne pourra plus jamais exaucer mon vœu le plus cher.

– Vous aviez toujours espéré?

– Toujours, sans le dire à personne.

Florence versa le restant du lait chaud dans les tasses et Tatiana se moucha.

– Quarante-six ans, ça me semble un peu jeune pour votre retour d'âge. Si on demandait l'avis du docteur?

– Même si j'accepte uniquement pour ne pas vous déplaire?

– D'abord que vous acceptez, cette raison en vaut bien une autre!

Le médecin passa une heure plus tard et examina longuement Tatiana, en lui posant de nombreuses questions. L'air perplexe, il hésitait à se prononcer.

– C'est si grave, docteur? demanda finalement Tatiana pour qui le silence devenait insupportable.

– Tous les signes sont là et je ne pense pas me tromper, madame Rostopchine, en prédisant la venue d'un bébé dans sept mois. Cependant, il faudra ménager vos forces. Vous n'êtes quand même plus de la première jeunesse, soit dit sans vouloir vous offenser.

Florence téléphona aussitôt à Igor, prétextant qu'il devait venir chercher un important document. Quand il fut là, elle laissa le couple seul et sourit en se surprenant à remercier à son tour la Vierge de tendresse.

❦

– La semaine prochaine, Malvina, si le cœur t'en dit, on fait une virée à Montréal. En plus de l'outillage coutumier à remplacer, on veut voir sur place les nouvelles machines agricoles. Tout le monde vient, la bru de Raoul y compris. Tu veux en profiter pour faire du magasinage?

Le cœur de Malvina battait à tout rompre. «Ma main au feu, pensa-t-elle, que c'est une idée de Raoul.» À quatre pattes sur le plancher de la cuisine, elle continuait de frotter avec acharnement, afin que Mathieu ne remarque pas son émoi.

– Coudonc! Tu m'écoutes ou tu fais semblant de pas m'entendre?

– Veux-tu prendre ma place, Mathieu Grand-Maison ? Pis frotter à t'en arracher les mains ? J'ai pas juste ça à faire, moi, m'épivarder en ville !

– *Viarge !* As-tu mangé de la vache enragée ?

Mathieu sortit en claquant la porte à toute volée pendant que Malvina tordait son torchon au-dessus du seau d'eau sale, incapable de retenir plus longtemps son sourire.

– Pourrais-je parler au père Philippe Lebel, s'il vous plaît ?

Pour parvenir à contrôler le tremblement de sa voix, en attendant d'avoir Philippe au bout du fil, Irène inspira profondément puis expira lentement.

– Bonjour. Le père Lebel à l'appareil.

– Bonjour, Philippe. C'est Irène. Comment vas-tu ?

– Irène !

– J'avais envie d'avoir de tes nouvelles, de savoir ce que tu deviens.

– Tu me manques tellement !

Après qu'elle eut repoussé le plus longtemps possible ce premier contact, les belles résolutions d'Irène s'effondraient. À quoi bon prétendre qu'elle voulait uniquement prendre de ses nouvelles ? Elle savait que le piège se refermait, car dans sa tête et dans son corps elle gémissait déjà sous les draps.

– Je veux te voir, là, tout de suite ! Tu m'entends ?

– Je t'entends, Philippe, et c'est bon.

Ils se retrouvèrent à leur lieu de rendez-vous habituel, une chambre que Philippe louait à l'année et dont il avait renouvelé le bail un mois plus tôt, dans l'espoir de renouer avec Irène. La pièce était faiblement éclairée et donnait sur une cour arrière par où ils entraient, afin de minimiser les risques de rencontre.

«Un an, un mois et deux jours, pensait Irène, pour nous retrouver au même point qu'avant, dans une chambre avec vue sur fond de cour, et fond de cour avec vue sur ruelle. Une chambre donnant sur nulle part!»

Philippe sommeillait tandis qu'Irène gardait les yeux grands ouverts sur le plafond dont la peinture s'écaillait par endroits, laissant entrevoir un fond de vieux rose. Ils avaient fait l'amour avec fougue, mais, à présent que Philippe dormait, Irène ressentait un vide énorme. Elle avait imaginé des retrouvailles avec des fleurs plein la chambre, des mots doux, des promesses, des projets. Philippe bougea à ses côtés et elle donna libre cours à sa déception.

– À part la fornication, qu'avons-nous en commun, Philippe?

– Tu as de ces mots!

– Grand et gros comme tu l'es, les mots ne devraient pas t'impressionner!

– Il faut croire que certains sont plus choquants que d'autres!

– Choquants? La chose en elle-même l'est-elle aussi?

– Irène! Après une si longue séparation, tiens-tu vraiment à gâcher ces quelques moments d'intimité?

– Intimité! Tiens donc! C'est un mot plus joli, plus acceptable!

– J'aurais préféré qu'on se quitte sur une note plus agréable, mais, si tu le préfères, disons-nous au revoir et à la prochaine fornication!

Philippe se rhabilla en vitesse et quitta la chambre en claquant la porte. Irène s'enroula dans les draps en rageant. «Je le déteste! Je le déteste!» répéta-t-elle jusqu'à ce que son visage trouve refuge sur l'oreiller de Philippe et qu'elle en hume l'odeur.

En plein milieu de la nuit, seule dans la chapelle, Jeanne priait. Ni le froid ni les douleurs aux genoux, et aux bras qu'elle tenait en croix, ne l'empêchaient de poursuivre sa longue supplique, afin que Dieu soulage la souffrance des malheureux.

«Je prierai pour vous, ma sœur», avait-elle dit ce jour-là à une religieuse qui ne se remettait pas de la mort de sa mère. Et Jeanne priait pour elle plus particulièrement, cette nuit-là, mais englobait également les misères du monde entier dans sa prière nocturne, où nul bruit ne venait interrompre sa concentration.

Comme toutes les nuits, elle garderait sa position jusqu'à ce que ses bras retombent d'eux-mêmes et que ses genoux fléchissent sous les tremblements de son corps. Elle offrirait ensuite quelques minutes de méditation pure à son Seigneur, puis regagnerait sa cellule les paupières presque closes, tant l'extase des derniers moments l'épuisait.

– Tu changes pas d'idée? T'es sûre et certaine?

– J'ai pas envie, Mathieu. Peux-tu imaginer la chaleur qu'il va faire en plein milieu de l'après-midi? À peine huit heures et on s'endure déjà plus!

– C'est comme tu veux, ma femme. Passe une bonne journée, pis, pour une fois, essaye de pas trop en faire!

– Inquiète-toi pas pour moi. J'aurai les deux pieds dans l'eau du ruisseau et j'envierai personne d'aller se faire suer à Montréal!

Malgré la chaleur, Malvina ressentit un frisson qui lui donna la chair de poule. Elle savoura le goût du danger qui l'attendait, ferma les yeux et sentit chaque parcelle de son corps frémir sous l'impulsion du désir. Elle s'entendit gémir comme si déjà les mains de Raoul la palpaient. Elle se rendit à la fenêtre du salon et souhaita les voir partir au plus tôt. Ils se tenaient au bord du chemin, riant et gesticulant, Raoul et Mathieu exceptés. Elle sourit.

«Mon pauvre Mathieu, ça m'étonnerait que tu réussisses à convaincre ton frère de partir avec vous, se dit-elle. Il est malade ou s'est foulé la cheville, ou quelque chose d'autre, mais c'est certain qu'il a dû trouver une bonne raison pour pas partir!»

Mathieu sortit enfin de la maison, suivi de Raoul. Malvina les vit tous monter dans la boîte du camion tandis que Raoul prenait le volant, sa bru à ses côtés.

— Non! C'est pas vrai! Non!

Le camion s'ébranla pourtant, emportant sa cargaison de gens rieurs, la laissant seule avec un désir fou qui lui tordait le ventre.

— Maudit grand niaiseux de Raoul Grand-Maison! Ça se vante de pas avoir besoin de tonique, pis c'est plus innocent qu'un enfant d'école! Va au diable! Pis continue de coucher avec ta veuve, parce que ton chien est mort avec moi! Mort et enterré!

Antoine ne se souvenait pas d'un mois de juin aussi chaud. Il quitta son atelier et descendit se rafraîchir au bord de la rivière. Les feuilles des arbres s'agitaient mollement, mais la différence de température valait le déplacement. Il s'appuya au saule pleureur, dont les branches touchaient l'eau, et ferma les yeux pour se laisser bercer par le clapotis des vagues se brisant sur le quai.

— Oncle Antoine! Je peux descendre?

Antoine fit un signe affirmatif et Marguerite déboula le grand escalier en un temps record. Elle s'installa au pied du grand saule et garda le silence. La compagnie d'Antoine la réconfortait et elle saisissait toutes les occasions pour se retrouver auprès de lui. Antoine aimait également sa présence et s'amusait de la perspicacité de l'enfant, qui, bien souvent, parvenait à déceler ses états d'âme.

— Tu es bien silencieuse, aujourd'hui.

— Je réfléchis.

– Et peut-on savoir à quoi ?

– Quand je serai grande, je veux me marier avec toi.

– Quand tu seras grande, tu rencontreras un prince charmant et tu diras alors que je suis trop vieux pour toi !

– Qu'est-ce que c'est, un prince charmant ?

– C'est un beau jeune homme qui arrivera sur un cheval blanc et qui dira, en te voyant : «Ma princesse aux grands yeux noirs, je t'ai enfin trouvée !»

– Non ! C'est ma maman qui va me trouver ! Pas le prince charmant !

Antoine était stupéfait devant les cris du cœur de Marguerite. Jamais il n'avait imaginé les répercussions d'une adoption sur l'imaginaire d'une petite fille qu'on dépose au sein d'une famille inconnue et qu'on laisse complètement ignorante de ses origines.

Il laissa glisser son long corps sur l'écorce du saule, s'assit auprès de Marguerite et entoura ses épaules. Pas un mot ne lui vint, mais Marguerite se sentit protégée. Elle appuya sa tête sur la poitrine de son oncle, respirant à peine, dans l'espoir de rester le plus longtemps possible au creux de sa chaleur.

Sous l'effet de la rage, le désir de Malvina s'était calmé pour un temps. Une semaine avant le mariage, la veuve Grolo invita Raoul, Mathieu et Malvina à souper et jouer aux cartes. Ils en étaient à leur deuxième partie de fouine, leur jeu préféré, et Raoul venait de commettre une erreur qui risquait de les faire perdre, la veuve et lui. «C'est bien fait ! se dit Malvina. Quand on reluque les femmes au lieu d'observer les cartes qui passent, on se retrouve gros Jean comme devant !» Elle commit pourtant une erreur à son tour, déstabilisée par le regard insistant de Raoul, et les chances de gagner la partie se rééquilibrèrent.

Alors qu'il ne lui restait aucun atout dans son jeu et que la partie perdait à ses yeux tout intérêt, Raoul allongea la jambe et la glissa sur celle de Malvina, dans un mouvement de va-et-vient sensuel. La surprise fit émettre à cette dernière un rire nerveux qu'elle transforma aussitôt en toux, car rien n'expliquait ce rire. La veuve Grolo se leva prestement pour aller chercher de l'eau, croyant qu'elle s'étouffait. Mathieu en profita pour aller se soulager, ce qui permit à Raoul de rester seul quelques instants avec Malvina.

– Demain, au bord du ruisseau, chuchota-t-il.

La veuve revenait déjà avec un verre d'eau et ils en restèrent là. Ils terminèrent la partie et Malvina prétexta un mal de tête pour rentrer à la maison. Sur le seuil de la porte, Mathieu se retourna vers Raoul.

– T'oublies pas qu'on rencontre le bonhomme Therrien demain après la messe?

– Torrieux! J'avais oublié! Va ben falloir que t'ailles tout seul, vu que j'ai promis d'aller chez le père Poirier, par rapport à la terre de son fils.

– La terre du bonhomme Therrien est plus importante!

– L'une exclut pas l'autre! En faisant baisser les prix, on pourrait faire d'une pierre deux coups!

– Quant à ça…

Le lendemain matin, cachée derrière le rideau du salon, Malvina surveillait le départ de Mathieu. Elle ignorait comment Raoul s'y était pris, mais elle était certaine qu'il l'attendait déjà au ruisseau. Elle avait à peine fermé l'œil de la nuit mais ne ressentait aucune fatigue. À présent certaine que son mari n'allait pas revenir sur ses pas, elle sortit par l'arrière de la maison et courut jusqu'au ruisseau. À peine y était-elle arrivée que Raoul surgit de derrière les épinettes noires et lui sauta dessus. Ils roulèrent dans les herbes hautes et l'ombre d'un bosquet les retint, cimentés l'un à l'autre, haletants.

– C'est plus que du désir, Malvina. C'est pas juste mon corps qui te veut, c'est ma tête aussi, pis mon cœur! Comprends-tu ça?

– On peut le comprendre, Raoul, sans pouvoir y changer grand-chose pour autant.

– Si seulement tu pouvais me dire qu'on va essayer d'être ensemble le plus souvent possible, j'arriverais à accepter. Mais, si tu me dis encore que c'est la dernière fois, j'aime mieux m'en aller sans rien faire.

Malvina approcha sa bouche, mais Raoul détourna la tête.

– Dis-moi avant que c'est pas la dernière fois !

– Prends-moi, Raoul, j'en peux plus !

Raoul se défit d'elle dans un mouvement brusque, mais elle le rattrapa et s'agrippa à lui.

– Ce sera pas la dernière fois, c'est promis !

– Faut pas promettre des choses qu'on peut pas tenir, ma femme !

Malvina poussa un cri de terreur en apercevant Mathieu, le fusil à la main, pointé sur elle et Raoul.

– Tu te souviens de ma promesse, Raoul ? Pis toi, Malvina, te souviens-tu de m'avoir entendu dire que le seul problème était de pas savoir qui des deux j'allais tuer ?

Mathieu parlait lentement, ce qui énerva doublement Raoul. Il savait qu'il valait mieux garder son calme face à une situation aussi dangereuse, mais les idées tournaient trop vite dans sa tête pour qu'il parvienne à y mettre de l'ordre. La voix de Malvina le surprit et lui permit de se ressaisir.

– Mieux vaut tirer sur moi. De toute façon, t'arriveras jamais à me pardonner, parce que c'est pas pardonnable. Laisse-moi juste te dire que ces choses-là s'expliquent pas. Ça m'a pas empêché d'aimer ma vie avec toi, pis de t'aimer, toi, Mathieu Grand-Maison, toute ma vie.

Raoul s'était relevé et avait bondi sur son frère si rapidement que Malvina elle-même n'en crut pas ses yeux. Le fusil se retrouva à ses pieds et elle eut la présence d'esprit de le lancer dans le ruisseau tandis que les deux hommes se battaient. Sans même tenter d'intervenir entre eux, elle remonta vers la maison, sachant qu'il n'y avait rien d'autre à faire et nul autre endroit où aller.

Mathieu revint, après un temps qui sembla à Malvina une éternité, le visage tuméfié et les habits dépenaillés. «Son bel habit de chez Max Beauvais», pensa-t-elle malgré le tragique de la situation. Elle prépara des compresses et les lui appliqua sans qu'il proteste.

– Comment t'as su, pour le ruisseau?

– Ces choses-là s'expliquent pas, comme tu m'as dit. Il y a des signes pis il faut juste les suivre.

– Mathieu, est-ce que tu m'aurais tuée?

Il ne répondit pas tout de suite. Il pensa qu'ils étaient bien vieux, tous les trois, pour des histoires pareilles, et il s'étonna que le désir et la jalousie ne vieillissent pas au rythme de leur corps. Il pensa aussi que, tant et aussi longtemps que ces sentiments les tirailleraient, ils défieraient la vieillesse.

– Le fusil était même pas chargé, finit-il par avouer.

– Sais-tu ce que j'arrive pas à accepter?

Malvina trempait les compresses dans de l'eau bouillie à laquelle elle avait ajouté une légère quantité d'eau de Javel. Comme elle n'attendait pas vraiment de réponse, elle poursuivit:

– C'est l'idée que tu voulais ma mort.

Mathieu se leva d'un bond, accrocha la bassine, qui se renversa sur le sol, et empoigna violemment sa femme à bras-le-corps.

– Je voulais juste ta vie, Malvina! Ta vie dans mes bras à moi, pas dans les bras de mon frère!

Malvina n'avait pas tenté de lui échapper, ne s'était pas débattue et n'émettait aucune plainte sous les ongles qui lui arrachaient la peau. L'étreinte se relâcha et la violence de Mathieu retomba aussi subitement qu'elle était venue. Malvina retira les compresses qui n'étaient pas tombées du visage de son mari, son corps tout près du sien, ses yeux rivés aux siens.

– Quand un homme aime sa femme assez fort pour sentir des choses qui sont pas dites, qu'il est capable de se battre comme un sauvage pour la garder, quitte à l'épouvanter avec un fusil pas chargé, la femme de cet homme-là veut plus jamais se sentir vivante ailleurs que dans ses bras à lui, pour le restant de ses jours.

Mathieu ne voyait plus que la bouche de sa femme, qui prenait tout à coup l'aspect d'un fruit mûr dans lequel il voulait mordre avidement. Il la désirait comme un fou, mais trouvait la chose insensée, quand elle venait tout juste de s'offrir à un autre. Il la prit pourtant, et avec une passion telle que Malvina gémit à n'en plus finir, abasourdie de trouver dans le corps de son homme ce qu'elle cherchait aveuglément ailleurs.

Étendus sur le plancher de la cuisine, à même le contenu de la bassine et avec l'odeur d'eau de Javel dans le nez, Mathieu et Malvina riaient, étonnés de cette passion soudaine qui renouvelait leur jeunesse. Ils parlèrent d'avenir comme s'ils avaient la vie devant eux, décidèrent d'un voyage, firent l'amour de nouveau, osant dire des envies jusque-là secrètes, puis mangèrent d'énormes sandwichs au porc frais.

– Pour le mariage de ton frère, qu'est-ce qu'on fait ?

– On fait comme si de rien n'était. J'ai pas envie de m'enfarger les pieds dans la rancune. J'ai juste envie d'être heureux avec toi pour le restant de mes jours !

En apprenant l'heureux événement à venir, Florence et Igor s'étaient mis d'accord pour que Tatiana cesse de travailler le jour même, considérant qu'une première maternité à un âge aussi avancé exigeait du repos. Florence engagea rapidement une autre femme, puis, avec l'aide d'Irène, de Laurence et d'Antoinette, elle organisa la vie de Tatiana. Pas un jour ne passait sans qu'elle reçoive une visite. On profitait de l'occasion pour faire son ménage, apporter des plats cuisinés et des desserts, sans parler des vêtements que chacune confectionnait pour la layette. Colette, Pauline et Marguerite, désireuses de participer à l'effort collectif, apprirent ainsi les rudiments de la broderie sur des couvertures de flanelle.

Tatiana était constamment au bord des larmes devant la générosité de la famille, comprenant mieux que jamais l'importance qu'elle avait à leurs yeux. Sa grossesse se déroulait aussi normalement que possible et, jusqu'à l'automne, elle ne souffrit d'aucun inconvénient. Au mois d'octobre cependant, elle dut prendre le lit. Elle suivit les consignes du médecin à la lettre et accoucha en décembre, deux semaines avant la date prévue.

L'enfant semblait parfaitement normal à la naissance, mais il mourut au bout de deux heures, des suites de complications cardiaques congénitales.

Mieux que quiconque, Florence comprit la détresse de Tatiana et l'inutilité des mots en pareille circonstance. Le matin, dès le départ d'Igor, elle arrivait auprès de Tatiana, s'affairait au ménage et à la cuisine, puis prenait place à ses côtés sans prononcer une seule parole. Elle ne lui offrait rien mais préparait du thé, du chocolat chaud ou une assiette alléchante qu'elle déposait à sa portée, la laisant libre d'y toucher ou de l'ignorer.

En accord avec Igor, elle avait interdit toutes les visites, sans jamais la laisser seule pour autant. Quand Tatiana pleurait, elle prenait ses mains et pleurait avec elle. Quand Tatiana se refermait, elle s'éloignait et s'occupait à une corvée quelconque.

Au bout de deux semaines, alors que Florence avait décroché tous les rideaux pour les laver, laissant ainsi pénétrer une lumière vive dans le petit appartement, Tatiana parla enfin.

– Si seulement j'avais pu le voir ! Si seulement on ne m'avait pas donné tant de calmants à l'hôpital !

Florence abandonna tout et vint s'asseoir auprès d'elle.

– Dites-moi, Tatiana, quand vous pensiez à votre enfant, comment l'imaginiez-vous ?

– Avec de grands yeux bleus et une petite bouche en cœur.

– Et les cheveux? Noirs ou bruns?

– Blonds! Igor et moi, nous avions les cheveux blonds à la naissance. Il aurait eu les cheveux blonds durant les premières années de sa vie.

Florence se releva et se mit à fouiller dans les armoires et les tiroirs sans rien demander à Tatiana.

– Qu'est-ce que vous cherchez?

– Laissez-moi faire! Je finirai bien par trouver!

Florence fouilla jusque dans la chambre à coucher, avant de trouver la peinture à l'huile, les pinceaux, les toiles et le chevalet. Elle revint les bras chargés et déposa son butin sur la table.

– Tandis que vous l'avez si bien en mémoire, il faut peindre son portrait! Ensuite, je trouverai le meilleur encadreur de Montréal et vous l'aurez sous les yeux pour le reste de vos jours! Cet enfant, vous l'avez porté, vous l'avez mis au monde, il doit donc vous en rester un souvenir!

À la grande joie de Florence, Tatiana s'exécuta aussitôt. Elle travailla sans relâche, et, quand Igor revint du travail, le portrait était fort avancé. Florence était sur le point de partir quand les paroles d'Igor la clouèrent sur place alors qu'il s'approchait du tableau.

– Tu l'as vu? Tu as vu notre petit Dimitri? À l'hôpital, ils avaient dit qu'il ne fallait pas, que ce serait trop dur pour toi. Dieu soit loué, ma tsarina, toi aussi tu l'as vu! Et tu as parfaitement retenu sa beauté.

Tatiana rejoignit Florence à la porte, la prit dans ses bras et la serra sur son cœur.

– Vous m'avez redonné mon enfant, chuchota-t-elle à son oreille.

Elles se quittèrent sans un mot de plus. Trop bouleversée pour rentrer tout de suite dans la maison, Florence marcha le long de la grande allée bordée de peupliers alors que tombait la première neige de l'hiver, celle qui, toujours, rappelle la saveur de l'enfance et chavire le cœur.

1940

Lᴀ ꜰᴀᴍɪʟʟᴇ Gʀᴀɴᴅ-Mᴀɪꜱᴏɴ était désormais si nombreuse que la salle à manger semblait avoir rétréci avec les années. On s'y entassait pourtant avec bonheur en ce dimanche de Pâques, chacun faisant honneur à l'énorme jambon qui trônait au milieu de la table.

Florence mangeait à peine, trop intéressée par les conversations qui se déroulaient toutes en même temps, d'un bout à l'autre de la pièce. Charles et Léopold discutaient de leur club nautique, dont la construction avait enfin commencé malgré la guerre, se félicitant mutuellement de s'être approvisionnés en bois juste avant les restrictions. Laurence et Irène annonçaient à Antoinette qu'elles en avaient trouvé le nom, «Le Sélect», et leur manière de le répéter, avec un petit accent pointu, agaçait Antoinette au plus haut point. De son côté, Antoine racontait à Émile qu'Igor prenait la direction du club et que le magasin Max Beauvais avait fêté son départ en grand, vu ses trente-quatre ans de service. Quand à Gérard, il avait l'air absent. En fait, il soupesait ses chances d'obtenir un jour la présidence au détriment de Charles, puisque ce dernier s'engageait dans de grosses affaires et qu'il aurait forcément moins de temps à consacrer aux entreprises familiales.

– Si j'ai bien compris, dit soudain Émile, c'est le genre de club tellement chic, avec carte de membre et tout le tralala, que ça me serait impossible d'y mettre le pied? Vous avez saisi la nuance? demanda-t-il à la ronde.

Il ne ratait jamais l'occasion de faire rire les autres à propos de sa jambe de bois, ce qui mettait les nerfs d'Irène à rude épreuve.

– On peut toujours sortir un homme de la campagne, dit-elle discrètement à Laurence, mais on peut difficilement sortir la campagne de l'homme!

– Irène! Avoue au moins que ton oncle a le sens de l'humour!

– Irène et Laurence sont chargées de la décoration, annonça Léopold. Ça vous donne une idée de l'élégance qu'aura l'endroit?

– On n'attire pas les mouches avec du vinaigre, renchérit Charles. Quand on veut obtenir la clientèle la plus huppée de Montréal et des alentours, il faut y mettre le paquet!

– Parlant de campagne! souffla Laurence à l'oreille de sa belle-sœur.

– Tante Laurence et tante Irène se moquent encore, glissa Marguerite à ses cousines.

– Tout en pensant que personne ne s'en aperçoit. Ma mère me fait honte!

– Pauline! C'est pas si grave de se moquer gentiment.

– Gentiment? Ma pauvre Colette, ça prend bien une rêveuse comme toi pour imaginer une chose pareille! Le pire, c'est qu'elles sont probablement en train de critiquer la robe de ta mère. Tu trouves ça gentil, peut-être?

Colette rougit. Ses tantes étaient si belles, si élégantes, et sa mère si fade à leurs côtés, qu'elle trouva les critiques justifiées.

La demie de midi sonna au salon, que personne n'entendit : la famille Grand-Maison bourdonnait trop fort, tandis que Florence contemplait sa ruchée. «Dix-sept petits-enfants, pensa-t-elle. J'entends d'ici péter tes bretelles, Arthur! Tu as bien raison, va! Frottés comme des sous neufs et tirés à quatre épingles comme ils le sont, nous pouvons être fiers de notre descendance!»

Simone et Lucienne se rencontraient tous les dimanches après-midi. Comme Simone ne gaspillait pas un sou et mettait tout son argent de côté, Lucienne devait oublier cinéma et restaurant si elle voulait se retrouver auprès de son amie.

Dès le beau temps revenu, elles se donnaient rendez-vous aux différents parcs de la ville pour pique-niquer et assister à des concerts gratuits. Elles faisaient ainsi le plein d'air pur et de verdure, et Lucienne admettait finalement qu'on pouvait se distraire à peu de frais.

Ce dimanche-là, sur les hauteurs du mont Royal, elles venaient d'entamer leurs sandwichs, non loin d'un kiosque où des musiciens accordaient leurs instruments. Elles restèrent sur place pour les entendre, et les pièces aux accents militaires leur donnèrent tant de frissons qu'elles en oublièrent de manger. Après le concert, elles offrirent les restes aux canards du lac et choisirent un banc où se prélasser, le visage tendu au soleil, heureuses de passer quelques heures ensemble.

Elles allégeaient leurs soucis en se les racontant, riant des travers de leurs patronnes qu'elles imitaient tour à tour. À partager leurs peines, leurs rêves, elles avaient fini par se sentir soudées l'une à l'autre dans une amitié indéfectible. Après avoir passé la semaine en revue, elles rêvassaient en silence, puis, la plupart du temps, Lucienne tombait endormie, la tête renversée en arrière. Simone attendait son réveil et profitait de ce répit pour penser à Marguerite, aux brefs instants où elle l'avait admirée en cachette, quelques heures plus tôt à l'église, et ce bonheur fugitif la comblait.

Tout en pensant à sa fille, Simone aperçut tout à coup un vieux bout de ruban soulevé par la brise et elle le suivit distraitement du regard. Il tournoya un moment, puis s'accrocha au pied d'un arbre. Ce n'était qu'un bout de ruban d'un bleu délavé, sur l'écorce brune, mais il retenait à présent l'attention de Simone.

– Lucienne ! Je viens d'avoir une idée !

– Quoi donc? demanda cette dernière en sursautant.

– Chaque année, j'achèterai un cadeau pour l'anniversaire de Marguerite!

– Et comment vas-tu faire pour le lui donner?

– Je vais les garder, année après année, enveloppés dans du beau papier, avec plein de rubans bleus, et quand ma mère va mourir et que ma fille et moi on va enfin se retrouver, je pourrai lui donner tous ses cadeaux d'un seul coup!

– Et si ta mère meurt pas?

– Voyons donc, Lucienne! Comme si ça se pouvait! Tout le monde meurt!

– Tout le monde finit par mourir, Simone, mais certaines personnes vivent longtemps. Prends ta mémère, par exemple. Tu m'as pas dit qu'elle était morte dans les quatre-vingts ans?

Simone n'avait jamais réfléchi à cette éventualité, surtout pas en ce qui concernait sa mère, et l'observation de son amie l'assomma. Quand Lucienne la vit au bord des larmes, elle risqua une suggestion.

– T'as jamais pensé que tu pourrais aborder ta fille un jour? En cachette, bien entendu!

– Lucienne! As-tu perdu la raison? Ma mère me tuerait! Et puis j'aurais trop honte.

– Et tu penses que ta honte va disparaître après la mort de ta mère?

– Ça fait trop de questions importantes en même temps! Pour que j'arrive à te répondre, il faudrait que j'y réfléchisse un bon moment.

– Je t'envie, Simone. Tu peux pas savoir comme je t'envie! Toi, au moins, tu peux voir ta fille tous les dimanches, même si c'est en cachette. Tu peux rêver du jour où tu vas la retrouver, tu peux faire des projets. Moi, je sais pas si mon petit garçon a été adopté ou s'il est encore à l'orphelinat, et je peux même pas espérer savoir ça!

– On peut prier pour ton petit garçon. À nous deux, peut-être que le bon Dieu va exaucer nos prières et en prendre bien soin.

Lucienne se moucha bruyamment, ce qui fit sourire Simone. «Une jeune fille de bonne famille se mouche avec discrétion, lui disait sa grand-mère, sans tambour ni trompette!»

– Moi aussi, je vais acheter un cadeau à ta Marguerite. Elle en aura jamais trop, des cadeaux!

– Une amie comme toi, Lucienne, c'est déjà un cadeau du ciel.

Lucienne se moucha de plus belle.

Épuisées, mais enchantées de leurs trouvailles dans les grands magasins du centre-ville, Laurence et Irène s'étaient confortablement installées sur des chaises longues de jardin. Les achats concernant le Sélect tiraient à leur fin et elles n'allaient pas s'en plaindre, car elles s'étaient embarquées dans une aventure plus exténuante qu'elles ne l'avaient imaginé. Les yeux fermés, elles récupéraient peu à peu, se laissant bercer par le doux murmure de la rivière. Laurence sortit la première de sa torpeur.

– Si on t'offrait de recommencer ta vie, est-ce que tu saisirais l'occasion?

La question surprit Irène. Elle avait la tête ailleurs, loin de considérations aussi improbables.

– Toi?

– Moi? Pour rien au monde!

– La vie avec mon frère te satisfait donc à ce point-là?

– La vie me satisfait, point! Ton frère ou un autre, la question n'est pas là. Je vis dans l'aisance, j'ai sept enfants tous plus beaux et intelligents les uns que les autres, j'ai la chance de ne pas faire mes trente-huit ans malgré toutes ces maternités, et j'ai trouvé en toi une sœur et une amie. Que veux-tu demander de plus à la vie ?

– L'amour, peut-être ?

– Tu y crois encore ?

– Et toi, Laurence, y as-tu déjà cru ?

Laurence ferma les yeux et sourit. Irène vit passer le bonheur sur le visage de sa belle-sœur, puis, soudain, se rappela le soir de sa première rencontre avec Léopold et des paroles de Laurence au sujet de son peu d'enthousiasme. «Il y a un Louis-Marie dans la vie de chaque femme, lui disait-elle. Certaines l'épousent et sont heureuses. Très peu, à mon avis. D'autres le perdent mais l'enferment au plus secret de leur cœur, sans commettre l'erreur d'en chercher un autre et de laisser passer bêtement le parti idéal.»

– Parle-moi de ton Louis-Marie à toi.

– C'est si loin, tout ça. Pourtant, il y a des jours où je me laisse bercer par les souvenirs, sans regret, juste pour le plaisir de revivre des moments doux.

– Sans regret ?

– J'ai toujours assumé le choix que j'avais fait à ce moment-là.

Irène se demandait ce qu'allait lui révéler Laurence. Avait-elle choisi volontairement de ne pas vivre un grand amour ? Elle attendait la suite, mais Laurence ne parlait plus et semblait absorbée dans une réflexion profonde. Elle laissa le silence planer entre elles et pensa à Philippe. Elle aurait tant voulu se confier à Laurence, lui dire qu'elle ne pouvait pas vivre sans lui. Les sept dernières années, passées à garder sa relation secrète, lui pesaient. «À quoi bon avoir une amie si elle ne veut pas vous entendre ? se demandait-elle à présent. Si elle me raconte son histoire, je lui avouerai tout !»

– Il était beau, très grand, et surtout très aimant. Un amour de tous les instants, que les hommes, en général, n'arrivent pas à soutenir. Ses mains me cherchaient, sa bouche me trouvait. Ses yeux ne me quittaient jamais et ses silences disaient tout. Je l'aimais comme on n'aime pas deux fois. Je l'aimais tant!

De grosses larmes roulaient sur les joues de Laurence et Irène pensa que les regrets habitaient perpétuellement le cœur des femmes, celui de sa belle-sœur autant que le sien.

– Un jour, j'ai rencontré ton frère. Il n'était pas aussi beau, pas aussi grand, pas aussi aimant que... mon Louis-Marie à moi. Charles n'était pas mon prince charmant mais il avait les pieds sur terre, un avenir assuré, et la souffrance ne pouvait pas venir de lui, quoi qu'il fasse!

Irène comprenait de moins en moins, se refusant à admettre que l'on puisse renoncer à l'amour par crainte de trop aimer. Laurence essuyait ses larmes et reprenait son aplomb.

– Crois-tu que l'amour puisse survivre à la pauvreté? Crois-tu que ton Louis-Marie t'aurait rendue heureuse bien longtemps, dans le dénuement le plus total? Mon Louis-Marie à moi était pauvre, lui aussi, et portait sa pauvreté aux nues, comme s'il fallait se glorifier d'une telle monstruosité! Dans sa famille, on était pauvre de père en fils, disait-il, mais plus heureux que les rois! Ton frère venait d'un milieu semblable au mien et notre rencontre m'a fait comprendre qu'il fallait avoir vécu dans l'indigence pour pouvoir l'accepter, qu'on ne décidait pas d'y entrer de son plein gré, comme si on entrait en religion.

– Tu as renoncé à l'amour pour choisir la sécurité?

– J'ai choisi de pleurer avant plutôt qu'après!

Pour Irène, qui avait souhaité parler à Laurence non pas d'amour mais de passion, la porte se refermait. Elle sut qu'elle ne pouvait pas, que Laurence ne comprendrait pas.

– Sans doute as-tu fait le bon choix, parvint-elle à dire, à l'encontre de ce qu'elle croyait, abasourdie de découvrir une étrangère sous le vernis de l'amie.

C'est, à tout le moins, ce qu'elle pensa à ce moment-là.

— Bénissez-moi, mon père, parce que j'ai péché.

Le vieux confesseur sortit de sa léthargie et releva la tête vers la fenêtre grillagée du confessionnal. Un rayon de soleil filtra à travers les vitraux de l'église et atteignit le visage de Jeanne au même moment.

— Pourquoi ces larmes, ma sœur?

Aucune réponse ne lui parvenant, il demanda, au bout de quelques minutes de silence :

— On vous a fait du mal?

— Jusqu'à ces jours-ci, je croyais en l'existence de l'âme, mais j'y croyais de façon abstraite. Aujourd'hui, je peux vous dire que j'ai mal à l'âme en sachant exactement de quoi je parle et en pouvant même la situer dans la région du cœur, pour en avoir ressenti non seulement la douleur morale mais également la douleur physique. Une douleur presque palpable et absolument insoutenable.

— Qui vous a fait tant de mal? demanda le prêtre tout en connaissant la réponse.

— Ma Supérieure, mon père.

— Jeanne, racontez-moi.

C'était la première fois qu'il mettait son appellation religieuse de côté et employait son prénom, ce qui eut l'effet d'un baume sur l'âme de Jeanne.

— Elle m'a surprise en pleine nuit, à genoux, les bras en croix, alors que je priais comme toutes les nuits dans le silence de la chapelle. Elle m'en a interdit l'accès en dehors des heures de prières dites normales. Si je désirais une vie de contemplation, m'a-t-elle dit, il aurait mieux valu que mon choix se porte vers le cloître. Elle prétend aussi que mon orgueil me tuera et qu'il m'empêche déjà d'enseigner convenablement, à cause d'un manque de sommeil. Pourtant, je peux vous assurer que je m'éveille fraîche et dispose chaque matin, et que je reste en alerte pour toute la durée de mes heures d'enseignement. Aussi étrange que cela puisse paraître, j'ai parfois l'impression qu'elle me pousse à la révolte, et je m'y refuse! De toutes mes forces! Ce qui me tue, mon père, ce n'est pas l'orgueil, puisque j'arrive à incliner la tête et à obéir. Ce qui me tue, c'est d'être privée des moments passés en compagnie de Dieu dans le silence de la nuit.

– Jeanne, vous souvenez-vous des questions et réponses de votre petit catéchisme?

– Oui, mon père.

– Alors, si je vous demande : «Où est Dieu?», que me répondrez-vous?

– Dieu est partout.

– Voilà! Dieu est partout! Dans le silence de votre cellule autant qu'en celui de la chapelle, et tout aussi bien au milieu du brouhaha de vos élèves. Dieu est en vous, Jeanne, et, par un simple effort de volonté, vous pouvez faire le vide autour de vous et retrouver sa présence où que vous soyez. Transformez cette épreuve en défi! À force d'exercices, vous parviendrez à une communion ininterrompue avec lui. En son nom, je vous bénis et j'appelle sur votre âme son amour et sa consolation. Allez en paix, ma très chère fille.

Marguerite et Pauline tenaient compagnie à Colette, qui avait la charge de veiller sur ses jeunes sœurs. Elles occupaient le kiosque au fond du jardin, d'où elles surveillaient les petites qui jouaient à la cachette.

– On est bien, ici, dit Marguerite.

– C'est mon coin préféré pour réfléchir ou pour rêver. Ici, j'ai l'impression d'être suspendue entre ciel et rivière.

– Tu parles comme un livre!

– Du Colette tout craché! s'exclama Pauline. Un de ces jours, Marguerite, on va voir notre cousine s'envoler dans les airs!

– C'est ça, moquez-vous! Mais, un de ces jours, à force de rêver, j'écrirai de grands romans, moi!

– Peut-être que Pauline se moquait, mais pas moi! Tu te souviens du conte que tu m'as écrit quand je vous ai confié que ma mère finirait par me retrouver?

– L'histoire de la maman lapin noir qui cherchait son petit lapin gris?

– Oui. J'avais dix ans à ce moment-là, et j'ai gardé ton conte précieusement. Il m'arrive encore de le relire, si je suis triste ou si l'espoir s'en va. De toute ma vie, c'est le plus beau cadeau que j'aie reçu! Penses-tu qu'on se moque de la personne qui nous fait rêver? Jamais!

Colette fut touchée du compliment et toisa alors Pauline de la tête jusqu'aux pieds, où elle fixa son regard avant de la narguer.

– Les deux pieds bien plantés dans la terre, ça fait pousser des racines. Pas de danger que tu t'envoles, toi, mais pas sûr que les racines vont pas finir par t'étouffer!

La conversation tournait au vinaigre. Afin qu'elle ne s'envenime pas davantage, Marguerite attira l'attention de ses cousines sur Raymonde qui venait de se cacher sous les escaliers, loin du but qu'elle devait garder. Colette courut vers sa jeune sœur.

– Raymonde! Fais-tu exprès d'être aussi empotée? C'est toi qui dois chercher les autres! Comment veux-tu les trouver si tu te caches?

En entendant ces mots, Marguerite éprouva un profond malaise, sans comprendre immédiatement ce qui lui arrivait. Puis, les yeux exorbités, la bouche entrouverte, elle eut subitement l'impression qu'un voile se levait, laissant apparaître une vérité nouvelle. «Maman, se dit-elle, c'est toi qui dois me chercher! Comment veux-tu me trouver si tu te caches?»

– Marguerite !

– Mais où elle s'en va comme ça ?

Marguerite courait et n'entendait pas Colette et Pauline qui lui criaient de revenir. Elle n'entendait plus que son cœur qui battait à un rythme fou. Elle traversa les buissons et trouva refuge dans la petite maison. Elle ferma la porte derrière elle et ouvrit les fenêtres donnant sur la rivière. Le jour s'assombrissait et sous la lumière diffuse la rive opposée perdait peu à peu ses contours. Marguerite se calma.

– Ma maman lapin noir, ton petit lapin gris ne t'attendra plus du côté de la rivière.

Le jour tombait à présent et Marguerite réfléchissait. Les oiseaux s'étaient tus, la rivière disparaissait sous la nuit. L'humidité envahit la petite maison et la força finalement à refermer les fenêtres. Elle sortit et ne vit pas le ciel étoilé au-dessus de sa tête, trop occupée par une seule et unique pensée.

– À partir de maintenant, c'est moi qui te cherche et c'est moi qui vais te trouver !

Émile et sa petite famille habitaient la rue Henri-Julien, tout près du marché Jean-Talon. Il adorait son quartier, où il avait plusieurs amis, des Italiens pour la plupart, avec qui il échangeait ses services d'entretien et de réparation contre de beaux légumes frais, du vin maison, d'énormes pièces de viande et du poisson. La vie qu'il menait lui plaisait, en plein cœur de cette petite Italie grouillante et rieuse, et rien ni personne, pensait-il, n'aurait pu l'en déloger.

Au sortir d'une visite chez son médecin, son monde bascula. Son premier réflexe fut de se rendre chez un copain qui tenait un café, non loin du marché.

– Quitter Montréal et aller vivre au soleil ! Tu te rends compte, Giovani ? Comme si je m'appelais Rockefeller et que j'avais les poches bourrées d'argent !

– Si tu as les poches vides, c'est bien parce que tu le veux! Qu'est-ce que je t'ai dit, pas plus tard que la semaine dernière?

– À propos de mes terrains au centre-ville?

– Si! Ça vaut une fortune! Quelques coups de téléphone et je te trouve une dizaine d'acheteurs! Tu vends, puis tu vas ensuite faire griller tes vieux os sous le soleil de la Floride. Et *viva la dolce vita*!

C'est ainsi que, pour prolonger ses jours et atténuer ses douleurs arthritiques, dont la souffrance devenait parfois intolérable, Émile fit les premières démarches pour la vente des terrains qu'il possédait à parts égales avec Florence, et que tous deux, quelques mois plus tard, réalisèrent des profits dépassant largement leurs espérances les plus folles.

À quelques jours de son départ définitif pour la Floride, Émile invita Florence au restaurant, sous prétexte, disait-il, de la remercier. Il s'était en fait donné une mission, mais, peu habitué à prodiguer des conseils ou à se mêler de la vie des autres, il devenait de plus en plus nerveux à mesure que le repas approchait du dessert.

– Pour l'amour du ciel, Émile, veux-tu me dire quelle mouche t'a piqué? Si tu continues d'avaler tout rond, tu vas t'étouffer avant la fin du repas!

Émile déposa sa fourchette et regarda sa sœur droit dans les yeux.

– Ça m'intimide un peu de te dire ça, Florence, mais sais-tu à quel point je t'aime? Sais-tu à quel point je te respecte? Sais-tu aussi que je te suis infiniment reconnaissant pour tout ce que tu as fait pour moi?

– Je sais, Émile. D'ailleurs, ton invitation m'a beaucoup touchée. Réalises-tu que c'est la première fois que nous mangeons en tête-à-tête au restaurant? Les gens vont croire que nous sommes de vieux amoureux!

Florence riait mais Émile gardait son sérieux.

– J'ai une question à te poser, Florence, une question indiscrète, et comme ça sert à rien de passer par quatre chemins, j'irai droit au but. Est-ce que tu aimes Simone ?

Il lui aurait lancé un verre d'eau au visage qu'il n'aurait pas mieux réussi à briser sa bonne humeur. Pour tenter de se donner bonne contenance, Florence vida son verre de vin d'un trait, mais elle faillit s'étouffer. Elle toussa un moment, sans qu'Émile tente de l'aider, puis, quand elle reprit le dessus, il poursuivit :

– Avant toute chose, je veux que tu saches que mon intention n'est pas de te juger. Loin de là ! Si j'ai décidé de te parler, c'est pour t'aider à réparer une injustice.

– Une injustice ? Comment peux-tu oser me dire une chose pareille ? C'est ma fille qui s'est conduite comme la dernière des dernières et c'est moi qui devrais me laisser accuser d'injustice à son égard ?

Florence n'élevait pas la voix mais le ton était dur et cassant. Elle le froudoyait du regard. Il fallut à Émile tout son courage pour l'affronter.

– Ta fille a toujours été à part, Florence. Tout le monde en était conscient. Peux-tu prétendre qu'elle avait la même intelligence que ses frères et sœurs ? Peut-être, sans t'en rendre compte, l'as-tu aimée un peu moins que les autres.

– Et si je l'avais aimée un peu moins que les autres, est-ce que ça voudrait dire pour autant que je ne l'ai pas aimée ?

– De deux choses l'une, Florence. Simone n'avait pas la possibilité de comprendre la vie ou elle ne ressentait pas assez d'amour autour d'elle ! Ou les deux en même temps ! Sinon, comment expliquer qu'une fille de seize ans se jette dans les bras d'un inconnu aussi vite et aussi facilement ?

Florence s'était levée. Émile fit de même et rejoignit sa sœur. Il la prit par les épaules et la força à se rasseoir. Il savait qu'elle n'oserait pas lui résister, de peur d'attirer l'attention sur eux.

– Le dernier des derniers, dit-il en se rassoyant, c'est moi ! Le mouton noir de la famille pour qui on tuait le veau gras !

Souviens-toi de l'histoire de Ferdinand, un certain soir de Noël. Même s'il avait raison, penses-tu que ça pouvait empêcher maman de m'aimer?

– Après ton retour du Klondike, elle ne t'a plus jamais adressé la parole!

– Oui, elle a cessé de me parler, mais elle n'a pas cessé de m'aimer et je le sentais! Comprends-tu ça, Florence? Je sentais l'amour de maman, même à travers son silence! Et c'est probablement son silence qui m'a sauvé, jusqu'à l'arrivée de Germaine. Tu vois, je pourrais comprendre que tu mettes du temps à pardonner à Simone, mais j'arrive mal à comprendre ton manque d'amour.

Florence n'avait pas l'habitude qu'on la retienne contre son gré, ni qu'on la juge. Elle voulait partir, ressentant dans tout son corps et dans sa tête l'urgence de la fuite, mais elle craignait par-dessus tout l'esclandre et elle resta. Afin de calmer les tourments que suscitaient les remarques d'Émile, elle tourna sa rage contre lui. Combien de fois avait-elle fermé les yeux sur l'état d'ébriété de son frère alors qu'il se croyait à l'abri en mâchant des pastilles? De quel droit osait-il se mêler de ce qu'il ne pouvait même pas comprendre? Savait-il seulement la signification du mot «réputation», après avoir ruiné la sienne? Les questions déferlaient dans sa tête et les jugements qu'elle portait sur Émile lui évitaient une introspection douloureuse sur sa propre conduite à l'égard de sa fille. Comme il ne parlait plus, elle lui demanda finalement:

– Je peux partir, maintenant?

– Si je t'ai blessée, je t'en demande pardon. Quand on n'a pas l'habitude, on trouve pas les mots. Tout ce que je voulais, c'est que tu essaies de comprendre que Simone est bien plus à plaindre que toi et moi et que c'est ton devoir de la protéger, faute de ne pas l'aimer assez.

– Je peux partir?

– Tu peux partir, Florence; j'ai dit ce que j'avais à dire et je l'ai dit selon ce que ma conscience me dictait.

– Bon voyage vers la Floride, Émile. Bonne vie à ta famille, à toi, et à ta bonne conscience !

Elle le quitta aussitôt, sans lui donner la chance de répliquer, ce qui, de toute façon, aurait été au-dessus de ses forces. L'envie d'une bouteille de gros gin venait de s'imposer à son esprit aussi fortement que s'il n'avait jamais quitté l'alcool de sa vie. Il en fut terrifié et se mit à trembler. Dans un geste mille fois répété depuis son premier jour d'abstinence, il plongea la main au fond de sa poche, où il trouva une menthe anglaise. Il la porta à sa bouche et, instantanément, l'image de Germaine se superposa à celle de la bouteille. Une fois de plus, le goût de la menthe fraîche lui rappela celui des baisers de la femme aimée.

En pleine canicule et parce que la chaleur de l'atelier était devenue insupportable, Antoine avait décidé d'aller se rafraîchir à la rivière. Il était loin de soupçonner que cette baignade ferait de lui un héros, par le simple fait de sauver un homme de la noyade. C'est pourtant ce qui arriva, l'homme lui en étant si reconnaissant qu'il ameuta photographes et journalistes. Il acquit ainsi une certaine célébrité dont il se serait bien passé.

Depuis la reprise économique, il avait travaillé sans répit, acceptant toutes les commandes de meubles sans exception. À la suite de ce sauvetage et de toute l'attention portée sur lui pendant un moment, il devint songeur et de compagnie taciturne. Puis plus rien ne le motiva et il trouva toutes les excuses possibles pour refuser la plupart des commandes.

Comme Igor travaillait presque tous les soirs au club nautique et que le caractère d'Antoine avait beaucoup changé, le docteur Dagenais espaça ses visites. Peu à peu, il se retrouva donc seul à l'atelier, complètement désemparé.

Irène n'avait pas vraiment envie de faire l'amour. Elle aurait préféré parler longuement avec Philippe, de tout et de rien, comme on le fait avec un ami, mais il avait trop envie d'elle pour l'écouter. Il la déshabillait à la hâte, impatient de la posséder, et Irène le laissait faire, amorphe et déçue. Elle ne réagissait pas à ses caresses, ne répondait pas à ses attentes, mais il poursuivait son but aveuglément.

Elle se laissait ballotter, à la fois triste et absente. Juste au moment où elle allait enfin lui demander d'attendre, il étira le bras vers la table de nuit et plongea la main au fond de son sac à maquillage. Il en sortit un tube de rouge à lèvres et le lui tendit.

— Mets du rouge sur tes lèvres !

Irène prit le tube et le lança à bout de bras.

— Pour qui me prends-tu ? Pour une putain ? Avec les lèvres bien grasses et la bave me dégoulinant sur le menton, peut-être ? Des poses de plus en plus osées pour t'exciter ! Comme les photos que tu as prises et dont j'ai honte ! Jusqu'où veux-tu me rabaisser ?

Phillippe se rhabilla si rapidement qu'il mit sa chemise à l'envers. Irène pensa que ce genre de situation, où le comique se mêle au tragique, aurait pu la faire rire en d'autres temps. Elle le laissa partir sans un mot, s'enfonça sous les couvertures et décida de dormir pour oublier que sa passion la perdait. Elle y était presque parvenue quand il revint.

— Je ne veux pas te perdre ! Je suis prêt à tout quitter pour vivre avec toi !

Dans les yeux d'Irène, l'affolement succéda à l'étonnement et Philippe vit clairement qu'il avait misé juste.

— Tu vois ? Je t'offre ma tête sur un plateau d'argent et tu la refuses ! J'ai toujours su que ton confort passait avant tout ! Ce que tu aimes avec moi, c'est le goût du risque et du péché. Avoue que je t'en donne pour ton argent !

Il claqua la porte et la laissa seule de nouveau. Elle pensa soudainement à Laurence, au jugement porté sur elle. Malheureuse comme les pierres, elle se rendit à l'évidence que l'une valait bien l'autre et elle décida de tout lui raconter.

La cloche de quatre heures venait de sonner la fin de la journée. Après une brève prière, les élèves de Jeanne sortirent de la classe en rangs disciplinés. Tout en surveillant leur départ, elle aperçut la Supérieure au fond du couloir. Les dernières jeunes filles parties, elle s'empressa d'aller la rejoindre et inclina la tête devant elle, attendant ensuite respectueusement qu'elle parle la première.

– J'ai le regret de vous annoncer la mort de notre dévoué confesseur. Comme le pauvre homme n'était plus très jeune, il fallait s'y attendre.

Jeanne ne s'y attendait pourtant pas et la Supérieure vit passer le désarroi sur son visage. À son corps défendant, elle en éprouva une satisfaction qu'elle réprima de son mieux, la jugeant aussitôt mauvaise. Puis, sous ses yeux, Jeanne se transforma, s'illumina de l'intérieur, crut-elle, ce qu'elle n'aurait jamais avoué à âme qui vive.

– Il vit enfin dans la présence tangible de Dieu !

La Supérieure haussa les épaules et tourna les talons, incapable de soutenir plus longtemps la force radieuse émanant du corps de Jeanne.

– Grand-mère ?

Florence se retourna vivement. À l'âge de quatorze ans, c'était la première fois que Marguerite l'appelait grand-mère. Depuis le jour de son arrivée, alors qu'Arthur et elle lui avaient expliqué qu'elle faisait dorénavant partie de la famille et qu'elle pouvait les appeler grand-père et grand-mère, tout comme leurs petits-enfants, elle avait toujours su trouver une façon de s'adresser à eux sans les nommer. Cette première fois toucha profondément Florence.

— Viens t'asseoir, Marguerite.

Les corneilles volaient au-dessus des peupliers et Florence les observait tout en se berçant. Elle profitait du beau temps avant que le froid ne s'installe pour de bon, car le fond de l'air refroidissait un peu plus chaque jour, tandis que le soir tombait rapidement.

— J'ai quelque chose à vous demander.

— Demande, Marguerite, demande.

— Est-ce que je suis une bâtarde ?

— Marguerite ! Où as-tu appris un mot pareil ?

— Bâtarde ! Illégitime ! C'est du pareil au même !

— Écoute-moi bien, maintenant, parce que c'est la première et la dernière fois que nous avons ce genre de conversation. Sache que toute vérité n'est pas bonne à dire et que, parfois, moins on sait de choses, mieux on s'en porte. J'essaie de t'élever au meilleur de ma connaissance, de te protéger et de te mener à la vie d'adulte avec le moins de problèmes possibles. Tu ne peux pas me demander plus, parce que je ne peux pas te donner plus. Il faut faire contre mauvaise fortune bon cœur, ce qui signifie que tu dois apprendre à vivre avec ce que tu as et oublier ce que tu aurais pu avoir. Je ne reviendrai jamais sur le sujet, tiens-toi-le pour dit !

La discussion était close et Marguerite le savait. Comme elle ne désirait pas irriter Florence inutilement et ne souhaitait surtout pas qu'elle la soupçonne de vouloir poursuivre ses investigations, elle ravala sa rancœur.

— Je suppose que vous avez raison, grand-mère. J'ai déjà beaucoup plus que bien d'autres.

La peur quitta Florence et elle se radoucit.

– À la mort de mon amie Zélia, j'ai commencé à tenir un journal. Sais-tu que c'est une bonne façon de libérer le trop-plein de nos émotions?

– Comme si on se confiait à une amie?

– En quelque sorte, oui. Un journal est si intime qu'on se laisse parfois aller à des confidences étonnantes, et, certains jours, le seul fait d'écrire nous permet de voir plus clair en nous. Attends-moi, je reviens tout de suite.

Marguerite fut soulagée de voir Florence disparaître. Elle devait se calmer, ne rien laisser paraître de son agitation. Sa grand-mère possédait un journal qui recevait ses confidences? Cette révélation la bouleversait, mais elle se ressaisit en la voyant revenir.

– Tiens! Je te l'offre, dit Florence en lui tendant un cahier noir cartonné. Si le cœur t'en dit, fais-en ton meilleur ami!

Marguerite la remercia, son aplomb retrouvé.

– Votre amie Zélia, est-ce que je l'ai connue?

– Non, mais tu l'aurais aimée. La femme la plus douce qui soit, la plus…

Marguerite n'entendait plus rien. «Si je n'ai pas connu Zélia, se dit-elle, c'est qu'elle a commencé à tenir son journal avant mon arrivée.»

Alors, tandis que Florence parlait de Zélia, Marguerite se mit à rêver des indices qui la mèneraient à sa mère.

Un soir où la solitude lui pesait plus que de coutume, Antoine décida d'aller retrouver Igor au Sélect. Il arriva au moment où il mettait la clé sur la porte.

– Si on allait s'asseoir au bout du quai? Aussi bien profiter des derniers beaux soirs de l'automne.

Antoine ne demandait pas mieux. En riant, il sortit de sa poche un flacon qu'il avait pris soin d'emplir de vodka.

– J'ai apporté des munitions !

– Pour te donner du courage ?

– Du courage ? Est-ce qu'un héros a besoin de courage ?

– Pour se confier, oui !

Les deux hommes burent tour à tour à même le goulot. Igor avait tout son temps pour Antoine, d'autant plus qu'il espérait depuis longtemps qu'il vienne se confier à lui.

– On fait de toi un héros et tu déprimes depuis ce temps-là. C'est normal ?

– Un héros ! Tout le problème est là, Igor. Je suis tout sauf un héros.

Igor ne dit rien. Il savait ce qu'il en coûterait à Antoine, si peu habitué à parler de lui, pour arriver à livrer le fond de sa pensée.

– Si encore je savais qui je suis, ce que je vaux ! J'ai beau chercher, je n'arrive pas à trouver une seule personne de ma connaissance qui puisse avoir une vie aussi vide et ennuyante que la mienne.

La rivière avait la couleur de l'encre et Antoine semblait la scruter. Il avala une bonne rasade et oublia de passer le flacon à Igor.

– Faire de moi un héros parce que j'ai sauvé un homme de la noyade ! Est-ce qu'on donne une médaille à une personne qui aide un aveugle à traverser la rue ? C'est aussi bête que ça !

Igor lui prit le flacon des mains et but à son tour.

– Qu'est-ce que je vaudrais, moi, Antoine Grand-Maison, face à un vrai défi ? Je me comporterais en vrai héros ou je prendrais mes jambes à mon cou ?

– Ces choses-là, Antoine, on les apprend uniquement au moment où l'occasion se présente.

– Justement!

Igor commençait à s'inquiéter. Il n'avait jamais vu Antoine dans un état pareil.

– Je veux savoir ce que je vaux! Qui je suis! Un héros ou un lâche? Je le saurai bientôt!

– Et comment le sauras-tu?

– Je vais m'enrôler. J'irai à la guerre, voir de quoi je suis capable!

– Pour y trouver la mort?

– Enterré vivant dans mon atelier, tu penses que c'est mieux? De toute façon, si je m'enrôle de mon plein gré, j'aurai plus de chances d'obtenir un grade et un poste intéressant.

À présent, Igor avait peur. Peur de ne pas trouver les mots, parce qu'il comprenait le désir profond d'Antoine, et peur de le perdre à cause de cette compréhension.

– Qui peut se vanter de connaître sa propre valeur? Est-ce que je sais, moi, ce que je vaux? Est-ce que je dois partir à la guerre pour le découvrir? As-tu seulement pensé à ta mère? À moi, qui t'aime comme un fils?

– J'ai passé ma vie à penser aux autres! Il est grand temps que je pense à moi!

Igor avala d'un seul trait le reste du flacon.

Florence dépouillait son courrier quand elle tomba sur une lettre personnelle dont elle ne reconnaissait pas l'écriture. Elle décacheta l'enveloppe et découvrit la signature de Charlotte Labonté au bas de la dernière page. La calligraphie lui sembla ronde et dodue, à l'image de la femme ou du souvenir qu'elle gardait de son unique rencontre avec elle. Un léger soupir lui échappa.

Madame,

Je viens d'enterrer ma vieille Fripouille, une chatte qui m'a tenu compagnie durant quinze ans. Comme elle était devenue aveugle et ne pouvait plus se déplacer, je la traînais avec moi dans un panier d'osier, d'une pièce à l'autre. Je ne voulais pas qu'elle meure, car elle était ma seule amie. À force de la tenir si près de moi, je pense lui avoir prêté des qualités humaines.

Vous vous demandez sans doute en quoi cette histoire vous concerne. Sa mort, voyez-vous, m'a fait penser à ma propre mort et j'ai réalisé qu'il me fallait éclaircir certaines choses avant l'heure fatidique. Cette heure a maintenant sonné pour moi si vous tenez cette lettre entre vos mains. Une voisine vous l'aura postée le jour même de ma disparition. Donc, si vous êtes en train de me lire, c'est que je suis bel et bien morte (et sûrement enterrée, vu la lenteur de la poste!).

Sous ce nouvel éclairage, je ne serais pas surprise que l'histoire de ma vieille Fripouille vous semble tout à coup plus touchante. La question n'est pas là, il va sans dire, et je poursuis mon propos. Sa mort m'a donc fait penser à la mienne et au fait que je devrais me présenter devant Dieu un jour ou l'autre. Si je voulais être en paix avec Lui, je devais d'abord l'être avec moi-même. Voyez tous les détours que j'ai pris pour arriver au but, celui de vous demander humblement pardon pour vous avoir laissée dans l'ignorance des faits réels.

C'était un garçon, mort-né, et je n'ai pas eu assez de toutes ces années, passées sans lui, pour le pleurer. À la suite de cette tragédie, je voulais vous avertir. Comme je pleurais sans répit, le temps m'a manqué. Petit à petit, j'ai finalement pensé que le montant mensuel n'allait pas vraiment vous appauvrir, tandis qu'il m'aidait grandement à vivre. On ne peut pas dire que ce soit bien, mais peut-on prétendre que ce soit si mal? Les premières années qui ont suivi le drame *m'ont tellement déprimée que je ne pouvais pas travailler. Par la suite, mes chances de retrouver une fonction semblable à celle que j'occupais au magasin Max Beauvais sont devenues si minces que j'en suis venue à considérer ce montant comme une compensation normale.*

Voilà! Je vous ai tout avoué et je me sens libérée, juste d'avoir couché la vérité sur papier. Que puis-je dire d'autre? Que je vous souhaite une bonne et longue vie? La tentation est forte de vous la souhaiter la plus longue possible, afin que je profite durant ce temps de la présence d'Arthur. Présence toute spirituelle et immatérielle, comme de raison!

Charlotte Labonté.

Florence replia la lettre, la remit dans son enveloppe et la brûla. Un léger sourire marquait encore ses traits. Elle savait apprécier la moquerie, même à ses propres dépens. «Le temps de la jalousie est bien loin, pensa-t-elle. Pourtant, Dieu sait à quel point je me suis tourmentée! Tu te souviens, Arthur, de la comparaison que je craignais tant? Quand je repense à tout ça, je dois bien admettre que ces choses-là, entre nous, ont été beaucoup plus belles par la suite. Ces choses-là... Je l'ai encore dit! Ces choses-là me manquent, Arthur. À mon âge! J'essaie de ne pas y penser, mais, certains soirs, en me couchant dans notre grand lit, en m'enfonçant dans le matelas de duvet, toute seule, ces choses-là refont parfois surface et m'obligent à sortir du lit. Pas étonnant que je passe de longues heures à travailler la nuit!»

Elle jeta un dernier regard sur les cendres de la lettre, repensa au contenu, au triste sort de Charlotte Labonté et à la vieille Fripouille dans son panier d'osier. «Oui, le temps de la jalousie est bien loin, Arthur, mais prends garde à tes fréquentations là-haut. Sinon, gare à toi quand j'arriverai!»

Marguerite pénétra dans le solarium sur la pointe des pieds et se trouva aussitôt ridicule. Il n'y avait aucune chance qu'on la surprenne, puisque Florence et Antoine soupaient au Sélect avec tous les membres de la famille, les enfants exceptés. Un souper d'au revoir pour Antoine, avant son départ. Marguerite ne voulait pas penser à ce départ et mit cette nouvelle souffrance en veilleuse, car, pour l'heure, elle avait d'autres chats à fouetter. Elle avança bravement vers le secrétaire de Florence et fouilla un à un les tiroirs. Le dernier lui résista.

Elle remarqua qu'il n'y avait aucune serrure aux tiroirs et se mit à jouer avec chacun d'eux, les ouvrant, les refermant. Au bout de quelques minutes, ce jeu lui permit de découvrir qu'il s'agissait d'entrouvrir deux tiroirs pour que l'autre, tant convoité, se libère. Elle y trouva cinq cahiers noirs cartonnés, choisit celui du fond et commença à le lire.

Ouverte depuis peu, la salle à manger du Sélect attirait déjà une clientèle de choix. Charles et Léopold avaient donné des ordres pour qu'on se surpasse ce soir-là. La musique et le bon vin aidant, l'atmosphère s'était vite détendue, et, bien avant la fin du repas, plus d'un avait oublié la raison première de ce souper. Florence, quant à elle, ne but pas une seule goutte.

À la fin de la soirée, elle dit à Antoine qu'elle souhaitait rentrer à pied à la maison et lui demanda s'il voulait bien l'accompagner. Il regretta d'avoir été quasiment aussi sage qu'elle, car le vin l'aurait aidé à supporter la douleur au fond des yeux de sa mère et il aurait moins redouté cette promenade. Il serait forcé, lui semblait-il, d'expliquer de nouveau les raisons de son engagement et de lui opposer un autre refus. Ils marchèrent longtemps en silence, puis, timidement, Florence prit la main de son fils dans la sienne.

– Quand tu étais petit, c'est toi qui prenais ma main. Le problème, vois-tu, c'est que tu es toujours mon petit. Le petit dernier ne vieillit pas dans le cœur de sa mère. Il grandit mais elle ne le voit pas vieillir.

– Vous n'avez pas froid? demanda Antoine, plein de sollicitude.

– Si seulement tu savais à quel point j'ai froid, Antoine.

Il sut que chaque mot portait un piège et résolut de parler le moins possible, afin de l'épargner.

– Je ne comprendrai jamais qu'on parte à la guerre de son plein gré, sachant qu'on va peut-être tuer des hommes qui, eux-mêmes, ont une épouse, des enfants, sûrement une mère, et que la souffrance engendrée par la mort d'un seul de ces hommes est immense.

Ils allaient toujours main dans la main, d'un pas lent, accordé à celui de Florence.

– Sans parler du danger de ta propre mort…

Ils arrivèrent à la maison. Les immenses peupliers étaient à présent dénudés et la longue désolation de novembre commençait. Au bas de l'escalier, Florence laissa la main d'Antoine et le prit par les épaules.

– Si je respecte ton choix, si je me retiens de toutes mes forces pour ne pas m'agenouiller devant toi et te supplier de rester, peux-tu me faire une promesse?

– Laquelle?

– Promets de revenir!

– Comment voulez-vous que je fasse une promesse pareille?

– Promets-le! Comme ça, tu seras bien obligé d'être prudent et ta promesse me permettra d'espérer. Promets-le! Jure-le!

Florence secouait son fils comme si elle voulait lui arracher de force l'assurance de son retour.

– Je jure de revenir. Là! vous êtes rassurée?

– Promets aussi de revenir avec tous tes morceaux!

– Je promets de revenir sain et sauf.

Antoine n'avait jamais vu sa mère dans cet état. Il la prit dans ses bras et la serra très fort contre lui. Il attendit qu'elle se calme et se dégage d'elle-même de son étreinte. Elle le fit lentement, mit la main au fond de sa poche de manteau et en ressortit une pipe.

– C'est la pipe de ton père. J'ai pensé que ça valait aussi bien qu'une médaille pour te protéger. Je te l'offre comme un talisman.

– Pour qu'il veille sur moi?

– Lui et bien d'autres! Je vais organiser tout un comité, de l'autre côté! Ton père en premier lieu, tes grands-parents Grand-Maison et Beauchamp, Zélia et Auguste Richard, Émérentienne et Louisa, la vieille Rose-Aimée et, bien sûr, mes deux petits anges.

– Ben du monde à la messe! comme dirait l'oncle Émile.

– Pis du ben bon monde, comme aurait dit ta grand-mère Adélaïde, bon comme du bon pain!

Ils montèrent l'escalier main dans la main et, dans le silence de la nuit, la voix de Florence se fit très douce.

– Emporte mon amour avec toi, mon fils. Qu'il te protège de tous les dangers et te ramène parmi nous.

À la grande surprise d'Antoine, sa mère l'embrassa alors sur la bouche et rentra précipitamment. Elle ne l'avait jamais embrassé sur la bouche et avait mis dans ce baiser tant d'amour et de tendresse qu'il en fut ébranlé. Du bout des doigts, il toucha ses lèvres.

1944

Depuis la mort d'Arthur, Florence passait les premiers beaux jours du printemps à Sainte-Dorothée. Les deux mains dans la terre, du matin jusqu'au soir, le travail aux serres la régénérait.

— Quand on pense qu'un chef d'entreprise comme toi vient se salir les mains au fin fond de la campagne, ça me dépasse! En tout cas, personne pourra t'accuser de tirer du grand!

Florence riait de bon cœur aux expressions d'Hortense, car elles lui rappelaient le temps de sa jeunesse.

— J'ai rien trouvé de mieux pour me changer les idées.

— Manquerais-tu d'imagination? Si c'est le cas, je pourrais me mettre en quête de meilleurs divertissements!

Florence pensa alors à la Floride, à Émile, à ses lettres qu'elle laissait sans réponse, et son frère lui manqua d'une façon plus aiguë.

— Quand la guerre sera finie et qu'Antoine sera de retour, ça te plairait de venir en Floride avec moi?

— Et comment donc! Quand je pense à toutes les fois que tu nous l'a offert et à toutes les excuses que mon Louis trouvait pour refuser! Le travail! Le travail! Pour en arriver où? Dans sa tombe, six pieds sous terre!

— Tu penses pas qu'on pourrait ralentir, nous aussi? On devrait prendre exemple sur Malvina et la veuve Grolo, tiens!

— La veuve Grolo! Le nom lui est resté collé à la peau même après la mort de Raoul! J'ai entendu dire qu'elles vivaient ensemble. C'est vrai?

– Trois mois après la mort de Mathieu, Malvina a laissé la maison à un de ses fils et elle a accepté l'offre de la veuve. Elle s'est installée chez elle et il semble qu'elles s'entendent à merveille. Des virées à Montréal de temps en temps, deux à trois petits voyages par année… La belle vie!

– Tandis que nous deux on se pense obligées de tenir le fort coûte que coûte! Pourtant, tout le monde disparaît autour de nous. Mon Louis, ma sœur Mathilde, tes beaux-frères, ton frère Ferdinand! Veux-tu me dire ce qui nous empêche de mettre la pédale douce?

– Une façon de repousser la vieillesse?

– Ou la peur de découvrir que la terre peut tourner sans nous?

– Comme si ça se pouvait!

Elles riaient, sachant que c'était la vérité et qu'il valait mieux en rire que d'en pleurer.

Antoine suait à grosses gouttes qui lui brûlaient les yeux et qu'il tentait d'essuyer du revers de la main tout en continuant d'installer la bombe qui allait faire sauter un convoi allemand. Malgré la chaleur, malgré la peur qui le tenaillait, il parvint à son but en moins de temps qu'il ne l'avait espéré et réussit à s'enfuir dans les bois qui longeaient la voie ferrée sans que personne l'aperçoive.

Après une course effrénée, et alors que son rythme cardiaque reprenait une cadence normale, il se surprit à penser au confort de son atelier où rien ne se passait, à des années-lumière de sa vie actuelle. Il sourit.

Au cœur d'une campagne française jamais à l'abri des bombes et de la folie du genre humain, il sifflotait pour chasser les images d'horreur qu'il refusait de traîner jusqu'à la ferme, au sein d'une famille devenue sienne et au milieu de laquelle Juliette rayonnait. Il connaissait à présent sa valeur, mais, pour chaque homme tué, la souffrance engendrée lui pesait désespérément et les paroles de sa mère prenaient dorénavant un sens lourd de conséquences sur sa tranquillité d'esprit.

À la suite d'un long entraînement en Angleterre, la Direction des Opérations Spéciales, agence mieux connue sous le nom de S.O.E., l'avait envoyé en Normandie en tant que spécialiste dans des missions de sabotage.

Les expéditions de plus en plus dangereuses qu'on lui assignait ne le rebutaient pas, mais, à cause d'elles, le danger que couraient Juliette et sa famille l'inquiétait constamment.

Durant son entraînement, il avait appris à imiter parfaitement l'accent normand, et il jouait à présent le rôle d'un cousin qu'on hébergeait, recalé par l'armée française à l'examen médical pour troubles cardiaques. Il quittait parfois la ferme durant plusieurs semaines, accomplissait diverses missions, puis revenait, dans l'attente de nouveaux ordres.

À le voir marcher d'un si bon pas, à l'entendre siffloter, nul n'aurait cru qu'il venait de poser une bombe qui avait emporté la vie de centaines d'hommes.

Antoine avait perdu ses illusions mais il avait gagné dans sa quête un amour inespéré. Juliette avait la rondeur des filles élevées au grand air, les yeux d'un bleu très sombre, des cheveux châtain clair qui lui tombaient sur les épaules en boucles désordonnées, et le goût de la vie inscrit dans tous les pores de sa peau. Dans la grange, où les parents leur laissaient une entière liberté, ils s'enfonçaient dans la paille, s'y roulaient et s'aimaient tant et aussi longtemps que le permettaient les jours sans mission. Sur le chemin menant à la ferme des parents de Juliette, Antoine sifflotait et tentait d'oublier la guerre qui ravageait le pays de son amour.

Les trois cousines s'étaient installées dans la petite maison, porte et fenêtres grandes ouvertes, et étudiaient sérieusement.

D'un commun accord, elles s'étaient imposé deux heures de travail avant de prononcer une seule parole. Colette, qui rêvassait depuis un bon moment, n'y tint plus et rompit le silence.

— Je vais me marier.

Pauline et Marguerite relevèrent la tête en même temps, puis déposèrent leurs livres. Malgré toute l'attention qu'elle avait su capter, Colette les laissait languir.

— Avec qui? demanda finalement Pauline sur un ton froid.

— Très drôle!

— Es-tu en train de nous dire que tu veux te marier avec André?

— C'est une blague! dit Marguerite en riant.

— À l'été!

— Quoi?

— Tu vois bien qu'elle nous fait marcher!

— Pas du tout! Je vous jure que c'est sérieux!

— Pas plus tard que la semaine dernière, vous vous êtes encore disputés et tu as failli le laisser!

— Et tes études? Sans parler de tes parents! Ils sont au courant?

— Qu'est-ce que tu fais de ton beau rêve?

— C'est pas le mariage qui va m'empêcher d'écrire, au contraire! J'aurai enfin du calme, loin des chamailleries de mes frères et sœurs, des soupirs de ma mère, des remontrances de mon père qui me harcèle pour que j'aide aux travaux de la maison! Comme si j'étais une servante!

— Tu penses qu'une fois mariée les travaux vont se faire par magie? Que vous aurez les moyens d'engager une bonne à tout faire?

— Nous serons seulement deux! Ça me donnera du temps pour écrire, pour lire, pour vous voir!

– Et les enfants? As-tu pensé aux enfants que tu auras?

– J'en aurai un ou deux, pas plus.

– Comment peux-tu savoir ça?

– Sans parler du caractère d'André!

– Ça m'apprendra, aussi, à tout vous raconter!

Elles se retranchèrent toutes trois dans le silence et firent semblant d'étudier pendant quelques minutes.

– Toi, Marguerite, as-tu déjà pensé au mariage? demanda soudain Pauline.

– Une chose à la fois! Terminer mes études d'infirmière d'abord; ensuite, on verra. Si jamais je rencontrais un homme de la trempe de grand-père, j'y penserais peut-être.

– Grand-père? demanda Pauline en fronçant les sourcils. C'est à peine si tu as eu le temps de le connaître!

Marguerite rougit. Si les cahiers noirs de Florence n'avaient pas divulgué le moindre indice sur ses origines, l'amour de Florence et Arthur s'y lisait par contre en toutes lettres.

– J'ai quand même vécu à ses côtés pendant un certain temps, dit-elle pour masquer son trouble. Et toi, tu penses parfois au mariage?

– Jamais dans cent ans! Je tiens trop à ma liberté! D'ailleurs, parlant de liberté, Colette, tout le monde sait qu'à dix-huit ans ça prend le consentement des parents pour se marier. Tu penses que les tiens vont accepter de signer?

– Qu'ils refusent, juste pour voir!

– Tu sais ce qui me rend le plus triste, Colette?

Elle avait son air buté et ne répondit pas à Marguerite.

– C'est que tu abandonnes tes projets d'écriture, mariage ou pas, comme si d'en rêver te suffisait.

– Et tout ça pour quelqu'un qui ne t'arrive même pas à la cheville! renchérit Pauline.

Colette regarda ses cousines tour à tour, les joues rouges de colère.

– Et toi, Marguerite? Ton beau rêve de tourner la planète à l'envers pour trouver ta mère? Tu l'as oublié? Tandis que toi, Pauline, tu penses toujours que ton amoureux t'arrive à la cheville? Même quand il te tripote partout?

Colette ramassa ses livres et sortit. Abasourdies, Pauline et Marguerite firent de même, tout juste capables de se saluer du bout des lèvres.

Quand Florence reçut enfin une invitation ferme pour monter à bord du yacht de son fils Charles, elle en ressentit une joie immense. L'un après l'autre, son fils et son gendre Léopold s'étaient offert ce luxe grâce au Sélect, qui semblait les faire rouler sur l'or. Jusque-là, les invitations pour une balade sur la rivière lui avaient paru trop vagues pour être acceptées, même si elle en rêvait. Depuis le jour de ses fiançailles, qui l'avaient menée sur l'île Sainte-Hélène quelque quarante-cinq ans auparavant, elle n'avait plus jamais eu l'occasion de se retrouver sur l'eau.

Seule avec Charles, elle monta donc à bord du yacht par une journée splendide. Le soleil tachetait la rivière de parcelles d'or et caressait agréablement sa peau. Le vent dans ses cheveux lui donna envie de défaire son chignon mais elle retint son geste, riant de sa fantaisie soudaine.

– Nous allons du côté de Sainte-Dorothée! lui cria Charles à travers le bruit du moteur.

– Est-ce qu'on va passer devant chez Hortense?

– On va la chercher! Elle nous attend! Je vous invite toutes les deux au Sélect!

Florence était aux anges. Il y avait longtemps qu'elle s'était sentie heureuse à ce point. Le bonheur lui rappela Arthur, sans tristesse aucune, avec le sentiment qu'il était là, tout près d'elle.

Hortense fut impressionnée, ce qui ne déplut pas à Florence. Un grand tour sur la rivière, un repas exquis au Sélect, une conversation enjouée, «une journée en or», avait dit Hortense sur le chemin du retour. Après l'avoir déposée chez elle, Charles coupa le contact du moteur à la hauteur de L'Abord-à-Plouffe, non loin du pont. Seul le clapotis des vagues sur le bois de l'embarcation venait rompre le calme environnant. Tandis que le yacht tanguait mollement, Florence savourait sa joie, les yeux fermés sous un soleil éblouissant.

— J'ai un immense service à vous demander.

Florence eut un serrement de cœur. Sa joie retomba brutalement, mais elle n'en laissa rien paraître.

— Je n'ai plus de liquidités et j'ai besoin de cinquante mille dollars, maintenant.

— Es-tu en froid avec ton banquier?

Charles s'alluma une cigarette pour ne pas avoir à répondre immédiatement et pensa que l'humour de sa mère virait au noir. Florence nota que les mains de son fils tremblaient légèrement.

— J'ai vraiment besoin de votre aide.

— Ton père avait coutume de dire qu'un quêteux pouvait tendre la main sans qu'on lui demande la raison de son geste. À ma connaissance, tu n'as rien d'un quêteux! D'ailleurs, ta demande de cinquante mille dollars le prouve assez bien! Tu peux donc supposer que je suis loin d'être assez naïve pour déposer une telle somme d'argent entre tes mains sans demander la moindre explication!

— Je signerais une entente avec vous, en bonne et due forme, et je vous remettrais la somme assez rapidement.

— Charles! Arrête de tourner autour du pot et vide ton sac! Dis-moi pourquoi tu as besoin de cet argent sans passer par ton banquier! Penses-tu que je suis née de la dernière pluie?

— Une dette de jeu.

Florence écarquilla les yeux, stupéfaite. Une scène du temps de sa jeunesse lui revint en mémoire. Sa mère discutait avec Zoé et Rose-Aimée sur les défauts des hommes qui leur semblaient inacceptables. Elles en étaient venues à la conclusion que les paresseux, les jaloux, les joueurs et les alcooliques remportaient la palme, et la grande Zoé avait décrété : «Au fond, l'alcoolique est le plus endurable, parce qu'il n'est pas toujours saoul, tandis que le paresseux paresse du matin au soir, que le jaloux est capable de soupçonner le curé quand sa femme va se confesser, et que le joueur s'emploie à perdre sa chemise dès qu'il n'a plus un sou en poche!» Florence sentit la honte l'envahir. Elle comprit sur-le-champ que Charles avait déjà emprunté à la banque avant de s'adresser à elle, et que l'étendue des dégâts risquait d'être plus grande qu'il n'y paraissait. Elle ne mit pas longtemps à prendre une décision.

– Je serai à mon bureau demain après-midi. Je veux voir tes états financiers, sans que tu omettes le moindre papier! Pas le moindre! C'est clair? La belle promenade est terminée!

Elle rentra chez elle, partagée entre la colère, la honte et le chagrin. «Se donner tant de mal pour arriver à ses fins, pensa-t-elle. Et dire que j'étais si fière de me pavaner sous les yeux d'Hortense et qu'en ce moment même elle doit m'envier! Si le ridicule tuait, je serais déjà morte!»

Les cloches du carmel de Lisieux sonnaient l'Angélus. Leurs sons grêles, portés par le vent, parvenaient parfois jusqu'à la ferme, et Juliette, alors, se signait.

– J'ai peur, Antoine.

– J'ai peur aussi, mon cœur. Peur de te laisser seule derrière moi, peur de ne pas revenir.

– Mon père dit que tu es un battant et que tu reviendras toujours. Je prie chaque jour la petite Thérèse de l'Enfant-Jésus de te protéger. Je ne pourrais pas vivre sans toi ! Tu es mon amour, tu es ma vie !

Antoine sortit sa pipe.

— Elle me sert de bouclier, dit-il en riant. Selon ma mère, tant que je la porterai sur moi, je serai protégé !

Il la bourra et fuma un moment, Juliette au creux de ses bras.

— Parlant de ta mère, tu crois qu'elle m'aimera ?

— Dès qu'elle te verra, elle tombera sous le charme. Tu ressembles un peu à sa grande amie Zélia, les rondeurs en plus !

— Je suis trop grosse ?

— Tu n'es pas grosse, mon cœur, tu es ronde comme une pleine lune qu'on rêve de décrocher, de caresser, de chérir toute sa vie.

— Et tu lui feras des enfants, à ta pleine lune ?

— Je te ferai tout plein d'enfants, mon cœur. Une bonne douzaine !

— C'est trop ! Tu n'auras plus le temps de fabriquer de jolis meubles ou de me sculpter tous les animaux de la ferme.

Antoine sortit une feuille de sa poche de vareuse et la déplia.

— Regarde ! J'ai commencé à dessiner les plans de notre appartement. Tu sais, la maison est très grande chez nous et nous ne sommes plus que trois à l'habiter. Si ma mère accepte, je transformerai l'étage du haut en appartement douillet, juste pour nous deux. Nous aurons une vue superbe sur la rivière. Tu verras comme elle est belle ! Et changeante ! De là-haut, tu aimeras toutes nos saisons.

— Même l'hiver ?

— Quand tu verras les glaçons énormes qui pendent du toit et qui brillent sous le soleil comme des cristaux, quand tu entendras la neige crisser sous tes bottes ou que, derrière les rideaux, tu observeras les grandes bourrasques qui forment des tourbillons blancs sur la rivière, tu aimeras l'hiver avec passion !

– Et je ne mourrai pas de froid?

– Étrangement, tu en souffriras moins qu'ici. De toute façon, je te tiendrai bien au chaud tout contre moi et tu n'auras plus jamais froid, tu n'auras plus jamais faim, et tu seras la plus heureuse des femmes, parce que j'y veillerai jour et nuit. Tu es ma toute douce, tu es mon cœur, tu es ma Juliette en pain de sucre.

– Tu es mon amour venu d'un pays de neige et je te suivrai jusqu'au bout du monde!

Antoine avait mis si longtemps à connaître le corps d'une femme qu'il ne se lassait pas d'admirer celui de Juliette. Sous la caresse de ses yeux, de ses mains, elle se sentait unique et s'offrait avec tant d'abandon qu'il chavirait à chaque fois. Et il priait le ciel qu'il y ait toujours une prochaine fois, malgré la guerre et la mort qui rôdait alentour.

Une nouvelle mission lui avait été assignée et leur nuit fut de courte durée, comme toutes celles où l'aube les séparait pour un temps indéterminé. Au tout début de leur amour, ils avaient convenu d'éviter les adieux déchirants. Quand Antoine se levait, aux premières lueurs du jour, Juliette feignait de dormir. Il la regardait un long moment, puis déposait un baiser sur ses cheveux tandis que, les yeux fermés, elle souriait. Il partait alors en emportant cette image de bonheur parfait.

Tout à l'inquiétude de la mission la plus dangereuse de sa vie, à Caen, château fort des Allemands, Antoine partit ce matin-là en oubliant sa pipe.

Marguerite avait mis son nom sur une liste d'étudiantes désireuses de parfaire leurs connaissances durant l'été. Elle fut choisie et envoyée à l'hôpital de la Miséricorde, où on l'assigna à l'aile des filles-mères.

Elle réalisa bien vite que certaines religieuses n'avaient aucune tendresse envers ces pauvres filles et, en leur absence, elle tentait de les réconforter. Plusieurs d'entre elles passaient de longues heures à pleurer. Certaines étaient très jeunes et réalisaient à peine ce qui leur arrivait; d'autres se révoltaient, et d'autres encore se repliaient sur elles-mêmes sans jamais émettre une seule plainte. Celles-là lui plaisaient particulièrement et elle s'appliquait à gagner leur confiance.

L'une d'elles, un jour, lui avoua que sa mère prendrait son enfant et le ferait passer pour le sien, qu'elle-même resterait auprès des Madeleine un certain temps et trouverait ensuite un emploi à la ville. Elle pourrait éventuellement retourner chez ses parents mais devrait attendre au moins un an, le temps de dissiper les doutes de l'entourage.

Cette confidence toucha profondément Marguerite, mais, trop occupée à apprendre son métier, elle passa d'une activité à l'autre sans plus s'y attarder.

Sur une île minuscule au milieu de la rivière des Prairies, non loin du pont de chemin de fer reliant l'île de Montréal à l'île Jésus, Laurent, Roger et Marcel fêtaient la fin de leur année scolaire. Cette île étant reconnue pour ses rencontres nocturnes, on la nommait l'île aux Fesses. Poussés par la curiosité des racontars de leur enfance, ils avaient décidé d'aller y faire un tour.

Profitant d'un soir de sortie de Charles et Laurence, Laurent avait emprunté le yacht de son père et, par la même occasion, emprunté aussi deux bouteilles au bar du Sélect. Roger et Marcel, quant à eux, avaient prétexté un soir de fête entre amis, sans que Gérard et Antoinette y voient d'objection, et ils avaient rejoint leur cousin par le bord de la rivière. À leur grande déception, l'île ne recevait aucun invité ce soir-là, et ils pensèrent que sa réputation tenait plutôt de la légende. Ils s'y installèrent malgré tout, firent un feu de branches et de bois morts pour chasser les moustiques, et entamèrent la première bouteille.

Durant les vacances d'été, ils travaillaient tous les trois à l'une des manufactures, là où la production était la plus importante. Ils en étaient à leur première semaine, la plus épuisante, et l'effet de l'alcool n'avait pas tardé à se manifester.

– Du travail d'esclaves! s'exclama tout à coup Laurent comme s'il voulait se vider le cœur.

– Vous devez connaître tous les rouages des entreprises si vous désirez un jour les diriger!

Laurent et Roger se tordaient de rire car Marcel venait d'imiter Gérard à la perfection.

– Passe encore pour vous deux, dit-il, vous rêvez d'être aux commandes! Quoique, avec vos deux grosses têtes enflées, c'est à se demander si vous n'allez pas vous entretuer pour accéder au trône!

– Ça te laisserait le champ libre!

– Vous pouvez vous les mettre où je pense, vos postes de commande. C'est le droit qui m'intéresse! Rien d'autre!

Au début de la seconde bouteille, la conversation se corsa et porta sur leurs expériences amoureuses. Du haut de ses seize ans, Marcel se vantait d'exploits imaginaires, tandis que Laurent avouait son initiation récente avec une ouvrière de la manufacture de sous-vêtements. Les deux autres écoutaient, mi-incrédules, mi-envieux, et la seconde bouteille se vidait avec allant.

– Et toi, Roger?

C'est Laurent qui avait posé la question. Roger se sentit rougir dans le noir et pensa que, si son cousin pouvait lire ses pensées, il passerait un mauvais quart d'heure. Comment avouer à qui que ce soit cette attirance folle pour la sœur de Laurent, sa propre cousine? Comment dire la joie qu'il éprouvait à découvrir au fond des yeux de Marie-Renée le même amour qu'il lui vouait?

– Moi? J'attends! lança-t-il laconiquement.

Ils remontèrent à bord du yacht aux petites heures du matin. En accostant au quai du Sélect, où Laurent devait ramener l'embarcation, ils eurent la surprise de leur vie : Charles et Gérard les y attendaient. Le châtiment reçu n'allait pas être oublié de sitôt, car le salaire d'une semaine de travail leur était retenu pour avoir «emprunté» le bien d'autrui.

«Lucienne pis moi, mémère, on gagne beaucoup d'argent chez Marconi. Faut dire qu'on travaille fort et qu'on refuse jamais les heures supplémentaires. J'ai pris des bons de la Victoire pour faire encore plus d'épargnes, et un jour, l'air de rien, j'aurai peut-être assez d'argent pour m'occuper de ma Marguerite.

«Vous devriez voir ce qu'on fait, chez Marconi. Des radios pour les sous-marins, mémère! C'est du travail à la chaîne, mais, quand même, vous seriez fière de moi! Depuis que j'habite chez Lucienne, depuis que sa mère est veuve, je trouve que j'ai une belle vie. On peut écouter la radio tant qu'on veut, on rit, on chante, on a du plaisir et ça fait du bien, parce que j'ai jamais eu une belle vie comme ça avant.

«La mère de Lucienne, madame Larose, c'est une femme joviale, qui aime la vie comme vous, toujours contente quand on revient de travailler, qui nous reçoit avec un bon repas chaud pour nous «remonter le Canayen», comme elle dit. J'aurais dû naître dans une famille comme ça, mémère, parce que Lucienne, sa mère, pis moi, on est pareilles. Chez nous, j'étais pas comme les autres, vous le savez bien! J'étais pas capable de sortir des grands mots, moi! J'arrivais même pas à les comprendre, leurs grands mots! J'arrivais pas à comprendre grand-chose, de toute manière.

«Tant que vous étiez avec moi, j'avais au moins vos belles vieilles mains pour me caresser, vos grandes jupes jusqu'à terre pour me cacher, pis votre bonne odeur de tabac qui empestait la chambre. J'ai pensé à ça, l'autre jour, en jasant avec Lucienne, et je lui disais qu'après, quand vous êtes partie, j'avais plus personne pour m'aimer. Si j'ai suivi Manuel dans les serres, faut croire que c'était juste pour sentir un peu d'amour. Vous le savez, vous, que j'étais pas une mauvaise fille! "Les filles comme toi", que ma mère avait dit, sans que je puisse comprendre que ça voulait dire "une mauvaise fille". J'étais bien trop innocente pour vouloir faire quelque chose de mal! Je voulais seulement qu'on m'aime!

«Maintenant, je sais bien qu'on doit pas faire ça à moins d'être mariée, mais quand j'avais seize ans pis que la vie m'avait rien montré, je pouvais pas savoir, vous comprenez? Je vous laisse, maintenant, parce que les yeux me ferment tout seuls, tellement je suis fatiguée de travailler si fort. Bonne nuit, mémère. À demain.»

À la hauteur de Saint-Vincent-de-Paul, pas très loin du pénitencier, un père et son fils se noyèrent dans la rivière des Prairies. La nouvelle se répandit chez les riverains à la vitesse de l'éclair et toutes les mères sortirent cet été-là leur chapelet dès qu'un des leurs s'aventurait sur la rivière.

Laurence n'avait pas la piété facile, mais, comme toutes les femmes, elle s'inquiétait pour Charles, qui faisait souvent la navette entre le Sélect et la maison à des heures tardives et parfois bien éméché. Son mari avait beau lui vanter les mérites du yacht, soutenant que pas un chat à part Léopold et lui ne s'aventurait la nuit sur la rivière, elle continuait d'appréhender les dangers pouvant survenir sur l'eau.

Un soir de ce même été, Charles et Léopold avaient tellement abusé de l'alcool qu'Igor avait subtilisé les clés de leurs embarcations et les avait lui-même reconduits à pied, pour leur permettre de se dégriser avant d'entrer chez eux.

Le lendemain, en pleine rue Saint-Jacques et alors qu'il venait de garer sa voiture, Charles repensait à ses abus de la veille. Tout à ses sempiternelles résolutions de mettre la pédale douce sur sa consommation d'alcool, qui, s'avouait-il, pouvait éventuellement lui causer un grave accident s'il n'y prenait garde, il ne vit pas venir le camion ni le côté dérisoire de la vie. Il fut frappé de plein fouet et vola dans les airs «comme un oiseau», eut-il à peine le temps de penser avant de s'abattre sur le sol à une distance fort éloignée de l'impact.

Marguerite n'avait plus jamais fouillé dans les cahiers noirs de sa grand-mère mais elle avait porté sur elle un regard plus tendre.

Dans ces cahiers, Florence s'y révélait fort différente de la femme qu'elle connaissait. De toutes les pages lues, Marguerite avait retenu deux phrases qui, sans lui servir d'indices, la laissaient encore songeuse. Elle n'avait pas osé les transcrire dans son propre journal et s'en souvenait par ailleurs très bien, car elles lui revenaient souvent à la mémoire. La première disait : «Elle m'aura fait boire le calice jusqu'à la lie, plus d'une fois !» C'était une phrase isolée, sans rapport avec ce qui précédait ou ce qui suivait, tout comme la deuxième : «La force des faibles est terrible !»

Alors que Charles rendait l'âme et que toute la famille l'ignorait encore, le facteur passa chez Florence et déposa le courrier entre les mains de Marguerite.

— Une lettre du Bengale, grand-mère ! Il me semble que vous en recevez de moins en moins.

Florence prit rapidement son courrier et se retira au solarium. Le téléphone sonna peu de temps après, apportant la nouvelle de la tragédie, et Marguerite oublia ainsi les questions qu'elle allait poser à sa grand-mère au sujet de cette tante Simone qui travaillait auprès des sœurs missionnaires et qui donnait si peu de ses nouvelles.

Dès qu'Irène apprit la mort de Charles, elle s'installa chez Laurence et prit la maisonnée en charge. Quelques jours après les funérailles, il y eut la lecture du testament qui faisait de Laurence l'unique héritière. Quand elle reçut de sa belle-mère une invitation à la rencontrer dans un restaurant du centre-ville, elle s'y rendit sans trop se poser de questions et apprécia sa compagnie jusqu'à ce que Florence demande :

– Dites-moi, Laurence, comment comptez-vous vivre? J'ai l'impression qu'il ne reste pas grand-chose de l'héritage des Richard. Je me trompe?

Laurence était sidérée. De quel droit, se demandait-elle, sa belle-mère se mêlait-elle de ses affaires personnelles? Même s'il ne restait aucune liquidité sur l'héritage de son parrain et de sa marraine, Charles avait tout de même investi dans l'achat d'une magnifique maison et il y avait une police d'assurance à venir. Quant au yacht et à l'automobile, elle entendait en tirer un bon profit, mais, par-dessus tout, il y avait sa part du Sélect. Comme cette part lui revenait de droit par testament, elle n'allait pas s'en départir, à l'encontre de ce que chacun pouvait croire. Elle prendrait la relève de son mari et travaillerait pour faire vivre sa famille.

– Sans vouloir vous vexer, madame Grand-Maison, ces questions sont très personnelles et ne regardent que moi. J'arriverai très bien à me débrouiller sans votre aide.

Le ton était cassant et ne pouvait faire autrement que blesser. Florence but quelques gorgées de thé chaud tout en se demandant si, placée dans le même situation que sa bru, elle aurait osé répondre d'une façon aussi cavalière à sa propre belle-mère, la grande Zoé qu'elle avait tant aimée. La réponse était négative, elle en était certaine. « Les temps changent, les femmes aussi, et pas toujours pour le mieux », constatait-elle en observant Laurence qui s'allumait une cigarette après avoir repoussé sa pointe de tarte à peine entamée.

Elle eut finalement pitié d'elle, à cause du coup dur qu'elle s'apprêtait à lui porter. « Comment faire autrement quand l'argent est aussi affaire de justice? Dans son testament, mon père avait calculé ce qui revenait à chacun de ses enfants, amputant la part d'Émile, qui avait abusé. Comment pourrais-je léser mes propres enfants au profit de la veuve et des enfants de Charles? » Elle eut pitié de Laurence qui ignorait tout et ravala la réponse cinglante de sa bru.

– Je sais que vous auriez aimé vous débrouiller sans mon aide...

– Et c'est ce que j'entends faire!

– Maintenant, écoutez-moi bien, Laurence. Ce que j'ai à vous dire vous blessera et j'en suis désolée, croyez-moi! Vous êtes une femme forte, vous avez du caractère, ce qui vous aidera à surmonter l'épreuve.

– L'épreuve? Vous parlez de la mort de Charles?

– La vie nous réserve toutes sortes d'épreuves, certaines plus difficiles que d'autres. Apprendre un côté caché de la vie de son mari est sûrement une épreuve pire que les autres, parce qu'elle nous révèle un homme qu'on ignorait, même si on croyait bien le connaître.

– Si vous pensiez me mettre au courant des infidélités de Charles, dit Laurence sur un ton agressif, j'étais au courant!

– Je l'ignorais. Ma pauvre enfant, rien ne vous sera épargné.

Florence avait tendu la main vers celle de Laurence, qui l'avait brusquement retirée.

– Charles jouait et perdait des sommes considérables. Étiez-vous au courant de cela aussi?

Laurence sentit tout le sang de son corps affluer vers ses talons. Elle eut peur de ce qui allait suivre, peur de perdre l'équilibre, tout comme si elle marchait sur un fil de fer sans filet en dessous. Florence vit s'inscrire le désarroi sur son visage mais n'approcha plus sa main de la sienne.

– Si je l'avais pu, Laurence, j'aurais effacé la dette de mon fils sans vous en dire un mot. Si, par exemple, il avait été mon seul héritier, je l'aurais fait. Ce n'est pas le cas et la dette est trop importante.

– Ça se chiffre à combien?

– Il m'a cédé sa part du Sélect.

Laurence se leva et quitta le restaurant sans un mot pour sa belle-mère.

Irène était épuisée. Mis à part les mois de grossesse de Tatiana, durant lesquels elle s'était dépensée sans compter, c'était la première fois de sa vie qu'elle se dévouait avec autant d'énergie. Les dernières journées passées auprès de Laurence venaient à bout de ses forces. Elle n'avait pas l'habitude d'une si grosse maisonnée à faire rouler et le bruit incessant d'une famille de sept enfants l'assourdissait.

Elle avait hâte de retrouver le calme de son foyer, son charme discret, d'entendre Élisabeth à son piano et de s'étonner encore et toujours de sa performance précoce. En entendant la porte d'entrée claquer violemment, elle sursauta. Quand Laurence pénétra dans le salon, elle déchiffra sur son visage une telle rage qu'elle en perdit ses moyens. Comme les mots ne lui venaient pas, elle décida de s'asseoir et d'attendre que sa belle-sœur parle la première, ce qui ne tarda pas. Cette dernière lui raconta tout, arpentant la pièce de long en large, les yeux exorbités.

– Ma pauvre Laurence, dit maladroitement Irène, si seulement je pouvais faire disparaître ta peine.

– Ma peine? Quelle peine? Est-ce que je t'ai raconté une histoire qui appelait de la peine? Est-ce que j'ai l'air d'une femme qui a de la peine? Regarde-moi! Je suis enragée! Enragée, m'entends-tu?

Il aurait été difficile à Irène de ne pas entendre, vu que Laurence hurlait.

– Prendrais-tu quelque chose de chaud?

– Sers-moi plutôt quelque chose de fort, que j'arrive à me calmer! J'ai l'impression que la rage me sort de partout!

Irène lui servit un scotch bien tassé et attendit qu'elle prenne quelques gorgées avant de parler.

— Sans rien connaître aux affaires, Laurence, nul besoin d'avoir la tête à Papineau pour comprendre que tu viens de te mettre dans de biens mauvais draps.

— Moi? Moi, je me suis mise dans de bien mauvais draps?

— Bois ton scotch et écoute-moi, veux-tu? Est-ce que j'ai besoin de dire que je t'aime et que je veux uniquement ton bien? Non? Bon! Tu n'étais pas en position pour affronter ma mère comme tu l'as fait. D'accord, tu n'avais pas la moindre idée de ce qui t'attendait, mais, maintenant que tu sais tout, je pense que tu as trop à perdre pour ne pas tenter de t'en rapprocher.

Laurence buvait vite et la boisson commençait à faire son effet. Elle tendit son verre à Irène, qui l'emplit de nouveau.

— Je sais que tu lui en as voulu de ne pas avoir cédé la présidence à Charles, il en avait parlé à Léopold, mais tu dois bien admettre maintenant que ça valait mieux ainsi!

— C'est bien vite dit! Quand un homme est blessé dans son orgueil, il peut se laisser entraîner sur une mauvaise pente, juste pour s'étourdir, pour oublier l'affront! Si elle lui avait fait confiance, il n'aurait peut-être jamais eu l'envie du jeu! Va donc savoir!

Irène se servit un scotch à son tour, car la moutarde lui montait au nez. Elle tenta de refouler ses paroles mais n'y parvint pas.

— De quel affront parles-tu exactement? Connais-tu seulement le cheminement de mon père et le dépassement de ma mère à ses côtés? Partis de rien, du fond de la campagne, tous les deux, ils ont appris à transformer leur langage, leurs habitudes, ils se sont serré la ceinture, ont relevé leurs manches et nous ont légué une manière de vivre qui vaut à elle seule une fortune! Nous sommes nés dans la ouate, le pain tout cuit dans la bouche, Charles y compris! Charles encore plus que les autres, avec l'héritage des Richard! Et tu parles d'affront parce que ma mère ne l'a pas privilégié au détriment de Gérard? Elle a eu le courage de poursuivre l'œuvre de mon père et la présidence lui revenait de droit!

— Encore une fois, j'oubliais que je m'adressais à une Grand-Maison! Une pure et dure! Sans toutefois leur orgueil démesuré, puisque capable de s'abaisser à sortir avec un prêtre et d'en supporter la honte!

Irène fit un effort surhumain pour ne pas lancer le contenu de son verre à la face de Laurence. Elle le déposa et sortit sans un mot, sans un regard pour sa belle-sœur.

— Petits! Petits! Petits! Petits! Petits!

«Cinq fois, pensa Gérard, jamais plus, jamais moins.» Il se tenait à l'arrière de la maison, par où il était venu de chez lui, et observait sa mère depuis un moment. Elle secouait à présent son tablier blanc pour le nettoyer du restant des miettes qu'elle avait lancées aux oiseaux et aux écureuils, et allait bientôt se retourner. Il fit quelques pas qui firent s'envoler les oiseaux.

— Gérard! Quelle belle surprise!

— On descend à la rivière?

Avec le soleil dans les yeux, ils s'appuyèrent comme autrefois à la barre du treillis métallique et admirèrent la rivière en silence. Florence pensa à Charles un moment alors qu'au loin le bruit sourd d'un moteur de yacht lui rappelait des souvenirs amers. Gérard, de son côté, attendait que la première phrase fasse son chemin et il fut lui-même étonné de son entrée en matière.

— Je suis venu vous parler de ma vie.

Le cœur de Florence se serra. Gérard ne parlait jamais de lui et voilà qu'il voulait lui parler de sa vie?

— Je t'écoute, mon fils.

— Je pourrais vous parler de la haine que me porte Colette depuis mon refus de signer le consentement à son mariage. Je pourrais vous parler des espoirs que je fonde sur l'avenir de mes fils, ou vous parler d'Antoinette. Pourtant, c'est plutôt de ma vie en dehors d'eux dont j'ai envie de parler.

Si peu habitués aux confidences entre eux, Florence et Gérard continuaient d'observer la rivière qui les avait jadis unis et qui les aidait à présent à masquer leur embarras. Gérard poursuivit, après une certaine hésitation :

– Je n'ai jamais prétendu que c'était une vie heureuse. C'est une vie qui en vaut une autre, sans plus. À choisir, j'aurais préféré celle de Charles, mais, là encore, pourquoi aurait-il tant bu s'il avait été heureux ? Nous savions tous qu'il avait un problème d'alcool et pourtant nous faisions semblant de croire à sa perpétuelle joie de vivre ! Malgré les apparences, je suppose qu'il n'était pas plus heureux que moi, mais plus habile à le cacher.

Florence souffrait en silence, se demandant où et quand elle avait failli à la tâche d'enseigner le bonheur à ses enfants. Elle ferma les yeux et pria Arthur de venir à sa rescousse.

– Je ne pense pas me tromper, poursuivit Gérard, en disant que je n'ai plus d'envie. Enfin, peut-être une, si on peut appeler ça une envie. Une porte de sortie serait plus juste. Oui, une porte de sortie pour me tirer d'un profond ennui de la vie.

– Et cette porte de sortie me concerne ?

– J'avoue que je suis un peu las de faire la navette entre les deux manufactures, sans parler de toute la comptabilité, que je devrai maintenant superviser seul. Si je pouvais m'installer au magasin, dans le grand bureau du troisième, je pourrais y recevoir nos clients privilégiés et me consacrer plus entièrement aux chiffres.

– Alors, mon fils, les portes de Max Beauvais te sont grandes ouvertes. J'ai toujours cru que la direction des manufactures te plaisait davantage que celle du magasin.

Gérard ne répondit pas.

– On pense connaître ses enfants, mais, à mesure qu'ils vieillissent, ils nous échappent. Et, plus le temps passe, moins on les comprend. Si, malgré ça, il te prenait l'envie de me raconter la suite de ta vie, n'hésite pas! Et tâche de te souvenir que l'une de mes plus grandes joies aura toujours été de descendre au bord de la rivière en ta compagnie.

Il y avait trop de tristesse dans les yeux de Florence pour que Gérard puisse soutenir son regard. Il se retourna vers la rivière. Le soleil descendit peu à peu, puis disparut en laissant de longues coulées rouges dans l'eau. Ils remontèrent lentement le grand escalier de bois et Gérard demanda, tout en haut :

– Vous souvenez-vous d'Érasme?

– Ce grand humaniste qui faisait l'éloge de la folie?

– Vous n'avez rien oublié!

– Voulais-tu tester ma mémoire ou l'importance que j'accorde à nos conversations?

Gérard sourit tristement. À travers cette question, sans doute voulait-il démontrer qu'il avait aimé, lui aussi, se retrouver auprès d'elle au bord de la rivière. Peut-être attendait-il un geste ou une phrase qui mette les sentiments à nu, sans détour. Il se trouva ridicule et répondit, en riant :

– Votre mémoire, bien sûr!

En prenant son courrier, Irène reconnut sur une enveloppe l'écriture de Laurence. Son cœur battit un peu plus vite en l'ouvrant.

Ma douce Irène,

Quand on laisse la colère nous posséder, on laisse également les mots dépasser notre pensée. Les miens étaient ignobles, indignes de l'amitié qui nous a liées si longtemps. Je n'en trouve malheureusement aucun qui puisse te les faire oublier.

Je souhaite pourtant en écrire quelques-uns pour me faire pardonner et les seuls qui me viennent à l'esprit sont les suivants : ma sœur-belle, ma douce et seule amie, j'attends un signe de ton pardon. Je l'attendrai le temps qu'il faudra, mais, je t'en supplie, fais que ce soit là, maintenant! Si la chose est possible, laisse-moi réparer l'irréparable.

La honte m'envahit quand je pense à ma conduite, et je ne sais plus comment te dire l'amour que je te porte. Tu me manques! J'ai besoin de toi! Pardonne-moi!

Laurence,

Ta mauvaise amie.

– Ma mauvaise amie, oui! Si tu m'aimais tant, comment as-tu pu me faire si mal? Une petite lettre et tout est oublié? C'est ça?

Comme toujours quand elle avait trop de chagrin, Irène décida d'aller rendre visite à Tatiana. Celle-ci lui offrirait du thé et du gâteau, ne poserait pas de questions mais la cajolerait, car elle comprendrait sa peine sans qu'un seul mot soit dit. Elle reviendrait ensuite avec le sentiment d'avoir été bercée durant une heure ou deux.

Roger aimait jouer aux échecs alors que Marie-Renée prétendait que c'était pour elle du chinois. Elle se servit de cette excuse pour se retrouver en sa compagnie et lui demanda s'il voulait bien lui apprendre à jouer. Ils prirent ainsi l'habitude de se rencontrer une ou deux fois par semaine et leur amour s'épanouit sans que personne le soupçonne. Pas un baiser entre eux, ni même un geste tendre, n'avait consacré jusque-là leur amour.

Après une partie, que Roger avait une fois de plus remportée, ils parlèrent de mariage, même s'ils le situaient fort loin dans l'avenir, et Roger souligna les dangers d'une union consanguine pour les enfants à naître.

– Je ne risquerai jamais de mettre au monde un enfant infirme, lui dit-il, et ça ne me pose aucun problème de ne pas en avoir. Mais toi, Marie, pourras-tu le supporter?

– Je pourrai tout supporter si je suis ta femme.

Alors, Roger embrassa Marie-Renée, et ce baiser, leur premier, eut pour eux la valeur d'un serment solennel.

Avec la débandade des Allemands à Caen, la mission d'Antoine venait de prendre fin. Juliette lui manquait terriblement, car il était parti depuis plus de deux mois, soit depuis le jour où il avait oublié sa pipe. Cette séparation l'avait rendu fou d'inquiétude, les communications entre eux ayant été impossibles, mais il retournait à présent vers elle le cœur léger.

Les pluies de la veille avaient amené un froid mordant, mais Antoine n'en souffrait pas, pas plus qu'il ne sentait son havresac lui courber le dos, trop excité en pensant à tout ce que sa mère avait envoyé depuis des mois et qu'il venait tout juste de récupérer par l'entremise d'un agent du S.O.E. Toute la famille allait bénéficier, à l'hiver, de sous-vêtements chauds, de chandails et de gants de laine, de boîtes de conserve et de sucreries, dont Juliette raffolait. Par-dessus tout, bien enfouie dans le creux d'une poche de sa vareuse, il y avait une chaîne où s'accrochait un petit cœur d'or qui scellerait leur amour.

La campagne était triste et froide. Et silencieuse. Antoine pressa le pas malgré le poids du havresac, dont les courroies lui broyaient les épaules. La ferme des parents de Juliette apparaissait enfin et il se sentait pousser des ailes.

Au milieu de la nuit, le rêve de Florence supprima le temps et l'espace entre son fils et elle. Antoine lui tendait une rose. Alors qu'elle la prenait, une épine lui perçait le doigt. Des gouttes de sang perlaient et tachaient sa robe. Puis un à un les pétales de la rose tombaient sur sa robe blanche et couvraient la tache rouge.

Le premier coup de feu jeta Antoine par terre. Il comprit rapidement qu'il n'était pas blessé et que seuls les réflexes dus à son entraînement l'avaient fait s'aplatir contre le sol. Il décrocha son havresac en toute hâte et dégaina son pistolet tout en rampant vers le fossé. Ils étaient trois. Et ils riaient. Il s'aperçut bientôt qu'ils étaient ivres et le croyaient mort, puisque, titubants, ils retournaient vers la maison.

De toute sa vie, Antoine n'avait jamais eu aussi peur. Il présuma que les trois Allemands avaient échappé aux Alliés, à Caen, qu'ils s'étaient enfuis sans but précis car l'étau se resserrait sur eux de partout, et qu'ils avaient trouvé refuge en cet endroit isolé. Trois Allemands n'ayant plus rien à perdre, ce qui les rendait d'autant plus dangereux. Il savait que Juliette quittait rarement la ferme. «Elle les aura vus venir et se sera réfugiée dans la grange.» Il se rattacha à cet espoir et la peur le quitta. La rage l'habita alors entièrement. Il contourna la maison, se traîna jusqu'aux fenêtres de la cuisine et se hissa lentement pour regarder à l'intérieur. Ils mangeaient et buvaient. Trois pistolets reposaient à côté des assiettes. Pas de mitrailleuse en vue. Cette constatation renforça son hypothèse d'une fuite hâtive et désespérée. Aucune erreur n'était permise et Antoine en était pleinement conscient.

Florence s'éveilla en nage. Le rêve gardait toute sa clarté. Elle s'agenouilla au pied de son lit et se mit en prière.

Antoine en abattit deux coup sur coup, et une balle siffla à son oreille avant qu'il ne descende le troisième. Il s'assura qu'ils étaient bien morts. Des traces de sang menaient à la chambre des parents, comme si l'on avait traîné des corps. L'espoir n'était plus permis et il tremblait. Le père, la mère et deux jeunes sœurs de Juliette gisaient sur le plancher de la chambre, empilés les uns sur les autres. «Elle les aura vus venir et se sera réfugiée dans la grange.» L'espoir revint.

Il courut jusqu'à la grange. Étendue sur la paille, nue, la poitrine tachée de rouge, Juliette ne souffrait plus. Antoine repartit en toute hâte vers la maison, la tête et le cœur en feu, un cri au fond de la gorge, qui l'étouffait. Il sortit les trois corps des Allemands dans la cour, souleva la table pour en renverser le contenu, regagna la grange pour en ramener le corps de Juliette. Il l'étendit sur la table, fit bouillir de l'eau et retourna au fossé pour y prendre son havresac. Quand l'eau fut chaude, il emplit une bassine, trouva du savon et un linge propre, et commença à laver le corps de Juliette.

Antoine avait les yeux secs en décrochant la jolie robe bleue des jours de fête. Il habilla Juliette, brossa ses cheveux et la porta ensuite à sa chambre, où il l'étendit sur son lit. De sa poche de vareuse, il sortit la chaîne au petit cœur d'or et la mit à son cou. «Ma douce lune, mon cœur, ma Juliette, emporte avec toi mon amour.» Il vida ensuite son havresac, choisit dans une boîte un carré de sucre à la crème, le fit fondre dans sa bouche, puis, de ses doigts, sucra le palais, les gencives et la langue de Juliette. Il la prit alors dans ses bras et commença à la bercer tendrement, comme il l'eût fait d'un enfant dont on veut apaiser les tourments.

Ce jour-là, Florence ne quitta pas le pied de son lit. Quand Tatiana comprit qu'elle ne pourrait pas l'en déloger, elle s'agenouilla à ses côtés et pria avec elle toute la journée.

1945

– Maman! Quelle belle surprise! Et le jour de votre anniversaire, en plus!

Dans le vieux couvent de Saint-Martin, les exclamations de Jeanne résonnaient d'un mur à l'autre et la cuisinière fut donc vite informée de l'anniversaire de Mme Grand-Maison. Elle s'empressa d'allumer son four et de préparer un gâteau, tandis que d'autres religieuses dressaient au réfectoire une table des jours de fête. Aucune d'entre elles n'aurait laissé échapper l'occasion de plaire à la Supérieure, car toutes, sans exception, l'aimaient infiniment.

Le vieux confesseur de Jeanne avait vu juste, puisqu'elle avait été nommée Supérieure aux obédiences de l'été, soit six mois auparavant et alors qu'elle avait tout juste quarante-deux ans. En l'apprenant, sa propre Supérieure n'avait pu retenir quelques mots acerbes. «Nous n'avons pas à remettre en question le jugement de notre Supérieure générale, lui avait-elle dit, mais, entre nous, avouons qu'elle prend de l'âge. Comment expliquer autrement sa décision de vous nommer Supérieure? À moins qu'elle éprouve un penchant pour les illuminées gonflées d'orgueil.» «À moins, avait répliqué Jeanne, qu'elle me perçoive tout simplement comme une servante du Seigneur, capable d'encaisser les reproches mais bien décidée à ne jamais en abuser envers les autres.» Jusqu'au départ de Jeanne, la Supérieure ne lui avait plus adressé la parole.

Florence venait de retirer son manteau.

– Soixante-trois ans, ma fille, et pas moyen de les cacher!

– Si papa était là, il vous dirait que vous ne les faites pas et que vous êtes toujours la plus belle!

– Ma foi, si ton père le disait, je serais peut-être assez folle pour le croire !

Les deux femmes s'étaient installées dans le bureau de Jeanne, d'où l'on pouvait observer par la fenêtre une grotte dédiée à Marie. Comme à chacune de ses visites, Florence remarquait les moindres détails, notait le changement le plus subtil dans la disposition des objets, l'enregistrait puis le reproduisait plus tard en pensant à sa fille, la situant dans son décor coutumier avec exactitude.

– Toujours sans nouvelles d'Antoine ?

– Tu penses bien que je t'aurais téléphoné ! Mon inquiétude augmente à mesure que les mois passent et mon sommeil diminue d'autant ! Pourtant, je mettrais ma main au feu qu'il est vivant. S'il était mort, je le saurais ! Je le sentirais !

– Vous n'envisagez jamais cette possibilité ?

– Jamais ! J'aime mieux croire qu'il a vu trop de sang, trop de drames, et qu'il se cache comme un vieux chat qui panse ses blessures. Pas celles du corps ! Il a promis de revenir avec tous ses morceaux et, aussi fou que ça puisse te paraître, j'y crois ! Je parle des blessures de l'âme, qui sont les plus cruelles et les plus longues à soigner.

– Mes prières l'accompagnent constamment.

– Tant mieux, ma fille, parce que les miennes sont de moins en moins ferventes !

– Vous êtes la femme la plus courageuse que je connaisse !

– Je ne suis pas courageuse, Jeanne, je suis révoltée !

– C'est peut-être du courage déguisé.

Un sourire lumineux éclairait le visage de Jeanne et faisait luire ses grands yeux noirs. Florence plongea son regard dans celui de sa fille, fascinée par la force qui s'en dégageait.

– Je t'ai apporté les photos du jour de l'An, dit-elle pour masquer son émoi.

À travers les photos, Florence parla de chacun, vantant les mérites des uns, soulevant les difficultés des autres. Jeanne apprit ainsi que Laurence avait refait surface après plusieurs mois d'isolement et qu'Irène y était sûrement pour beaucoup, que le talent d'Élisabeth ferait d'elle une interprète de renommée, que Laurent demeurait encore très affecté par la mort de Charles, ainsi que Léopold, qui avait perdu en lui son meilleur ami, et ainsi de suite du premier jusqu'au dernier membre de la famille.

Au milieu de l'après-midi, les religieuses les convièrent au réfectoire, où l'on fêta Florence. En se retrouvant de nouveau seule avec elle, Florence complimenta Jeanne sur l'harmonie et l'amour qui régnaient au sein de sa petite communauté.

– Je suis en quelque sorte une mère pour les religieuses dont j'ai la charge. Quand il m'arrive d'éprouver de la difficulté à régler certains problèmes, savez-vous que je pense alors à vous ?

– À moi ?

– À vous, aux drames que vous avez traversés. Aucune de mes difficultés ne peut résister à cet exercice, car je réalise alors que le monde extérieur amène des épreuves plus douloureuses qu'au sein d'une communauté protégée.

Florence ne se lassait pas d'entendre la voix rauque de sa fille, d'admirer l'éclat de ses yeux, tout en pestant intérieurement contre son habit religieux qui transformait le bel ovale de son visage.

– Chaque jour, je demande à Dieu de ne pas m'épargner la douleur des autres. La vôtre en particulier. Je peux entendre ce que vous n'osez dire à personne. Je peux tout prendre sur mes épaules si votre fardeau est trop lourd à supporter.

Jeanne se tenait debout, à la fenêtre.

Dans un geste d'abandon total et avec une spontanéité surprenante de sa part, Florence se leva et se réfugia dans les bras de sa fille en pleurant sans retenue. Jeanne ne parlait pas mais la serrait sur son cœur et caressait ses cheveux. Plus personne ne prenait Florence dans ses bras ni ne caressait ses cheveux. Elle pleura donc longtemps dans les bras de sa fille et Jeanne sentit la souffrance de sa mère la pénétrer. Malgré le mal qu'elle en éprouva, elle remercia Dieu pour la grâce accordée et sentit qu'elle était, à ce moment précis, non plus la fille mais la mère de sa propre mère.

C'est alors que Florence commença à parler de Simone.

– Papa, j'ai quelque chose d'important à vous dire.

– Si tu penses revenir une fois de plus à la charge avec ton histoire de mariage, la réponse est toujours la même, Colette. C'est non.

Colette s'avança tout près de son père et lui chuchota :

– Je suis enceinte.

Pour la première fois de sa vie, Gérard sortit de la maison en claquant la porte.

Dans le petit appartement de Saint-Henri, Mme Larose et Simone achevaient leur repas. Un bouquet de roses rouges trônait au milieu de la table.

– Quand on pense que ma Lucienne a trouvé un prétendant ! Des fleurs achetées chez un fleuriste et une invitation à souper au restaurant ! Il me semble sérieux !

– Et pas ennuyant pour autant ! Toujours le mot pour rire !

– Ça, oui ! En tout cas, c'est peut-être pas le plus bel homme de la ville, mais c'est sûrement le meilleur !

– Parlant de beauté, savez-vous que ma Marguerite devient de plus en plus jolie ? Ce matin, à l'église, j'ai vu son sourire pour la première fois. Madame Larose! Le sourire de Manuel! Avec les plus belles dents qu'on puisse imaginer! J'en ai le cœur encore tout à l'envers. Il lui aura au moins donné ça!

– Ma pauvre enfant! C'est pas Dieu possible de s'arracher le cœur comme ça à tous les dimanches!

– C'est pas de la voir qui m'arrache le cœur, c'est de rien savoir d'elle!

Mme Larose se leva péniblement. Courte et grosse, elle donnait l'impression de se déplacer en tournoyant sur elle-même. Simone s'empressa de débarrasser la table, pour lui éviter des pas. Puis, comme il était inutile d'insister pour qu'elle reste assise, la pauvre femme souhaitant démontrer que son obésité ne l'empêchait en rien d'accomplir ses tâches, Simone se contenta de prendre un linge à vaisselle et attendit à ses côtés les premiers morceaux à essuyer.

– Pensez-vous qu'elle étudie encore?

Mme Larose abandonna la pensée de sa fille Lucienne, peut-être en train d'embrasser son prétendant, et consacra toute son attention à Simone.

– À dix-neuf ans? Y penses-tu?

– Il paraît que, dans les familles riches, les filles étudient de plus en plus longtemps. C'est dur de rien savoir. Quand j'étais petite, mémère savait que j'aimais pas les carottes cuites et, quand ma mère avait le dos tourné, elle les prenait dans mon assiette pour pas que je sois obligée de les manger. Moi, je sais pas si ma fille déteste les carottes cuites autant que moi, je sais pas ce qu'elle fait de ses journées, ni à quoi elle rêve. Elle a peut-être un prétendant, elle aussi? Qu'est-ce que j'en sais? Rien de rien! Pire que ça, madame Larose, je sais même pas si elle pense à moi de temps en temps.

– Tu sais bien que ça peut pas faire autrement!

– Si ça lui arrive de penser à moi, vous savez ce qui me fait le plus peur? C'est que mon image soit belle dans sa tête. Parce que, le jour où on va se retrouver, il faudrait pas qu'elle soit déçue, vous comprenez? Pour tout vous dire, j'ai peur qu'elle me trouve trop laide pour m'aimer.

– Si tu veux mon avis, Simone, tu devrais couper tes cheveux, te maquiller un peu, t'arranger un peu plus à la mode.

– Vous pensez que je devrais?

– Quand Lucienne rentrera, on va lui demander son avis. Deux têtes valent mieux qu'une!

Laurence sortait. Elle avait la beauté des femmes de la jeune quarantaine, de celles qui savent choisir mieux que jamais des tissus aux teintes chaudes, des bijoux et des parfums plus lourds. Colette et Marguerite étaient venues à la rescousse de Pauline, qui gardait les plus jeunes.

– Comme vous êtes belle! s'exclama Colette en apercevant sa tante.

– Vous sentez bon, ajouta Marguerite.

– Vous trouvez? Vraiment?

Laurence tournoyait, fière d'elle et des compliments. Pauline l'observait en silence.

– J'ai demandé à Mado et à Marie-Renée de s'occuper des plus jeunes. Si vous étiez gentilles, toutes les trois, vous pourriez vous intéresser à Laurent. Essayez de lui changer les idées, de le motiver! Si ça continue, il va couler son année scolaire!

– Vingt ans et pas capable de se prendre en main, marmonna Pauline alors que sa mère partait.

– C'est quand même pas de sa faute! s'indigna Colette. Tu sais à quel point la mort de ton père le fait souffrir!

– Tout le monde a de la peine! Pourquoi est-ce qu'il en aurait plus que le reste de la famille? À part ma mère, bien entendu, qui en a moins que nous!

– Pauline! Comment peux-tu dire une chose aussi méchante? demanda Marguerite, les yeux exorbités.

– Vous l'avez vue? Vous avez vu ses yeux? Ça brille comme des feux d'artifice! C'est pas des yeux de femme triste, ça! On dirait plutôt des yeux de femme amoureuse qui n'a même pas la décence d'attendre un an avant de sortir avec un homme!

Le silence se fit lourd et embarrassé, jusqu'à ce que Marguerite trouve une idée pour changer l'atmosphère.

– Si on regardait des photos? Vous devez bien avoir des albums?

– Tout plein d'albums et tout plein de films!

– Des films! On pourrait demander à Laurent de nous les montrer, dit Colette qui n'avait pas oublié la mission de s'occuper de son cousin.

– Bonne idée, surtout qu'il est le seul à faire marcher ce truc-là sans que les bobines s'emmêlent.

Ils regardèrent tous les films avec Laurent. Les premiers remontaient à l'année 1930 et on y voyait évoluer Arthur et Florence, ce qui ramena de beaux souvenirs entre eux. Ils versèrent aussi quelques larmes à la vue de Charles, mais l'obscurité de la pièce leur permit de ne pas se sentir trop mal à l'aise. Ils s'attaquèrent ensuite aux albums. Laurence avait de l'ordre et de la méthode. L'année était inscrite au début de chaque album et on pouvait suivre les saisons de cette même année, tant le classement était minutieusement fait. Celui de l'année 1924 retint particulièrement leur attention.

– C'était l'année avant ma naissance, dit Laurent. Regardez l'oncle Antoine, tout maigrichon!

– Qui est à ses côtés? demanda Marguerite.

Quatre têtes s'approchèrent pour scruter la photo.

– Sans doute la tante Simone, dit finalement Laurent. Celle qu'on n'a pas connue et qui vit au Bengale.

Marguerite retint que la dernière photo de Simone se trouvait dans l'album de l'année 1925 et avait été prise au mariage des parents de Colette. Il restait encore plusieurs albums à découvrir quand elle se plaignit d'un mal de ventre et les quitta.

La distance à parcourir pour rentrer à la maison n'était pas longue. Pourtant, Marguerite avait l'impression qu'elle n'y arriverait jamais, tant les images dans sa tête se bousculaient et l'empêchaient de penser clairement. En arrivant, elle aurait aimé se réfugier dans la petite maison, mais la fin de mars était glaciale et le froid lui aurait pénétré les os. Elle se résigna à entrer à la maison, salua rapidement Florence en se plaignant de son mal de ventre, ce qui était généralement compris sans appeler de questions inutiles, et gagna sa chambre. Elle s'étendit sur son lit, ferma les yeux et laissa les images déferler sans chercher à les comprendre. Elles s'entrecroisaient, pêle-mêle, la petite Raymonde se cachant au lieu de chercher, la jeune fille-mère qui devait attendre un an avant de retourner chez ses parents, Florence prenant la lettre du Bengale d'un air contrarié, les deux phrases du journal, celle qui parlait de la force des faibles et l'autre du calice bu jusqu'à la lie.

Un malaise grandissant tourmentait Marguerite qui, à travers ces images mentales se bousculant à toute allure, en voyait une se superposer aux autres, celle de Simone, sur une vieille photo remontant à l'année 1925, soit l'année précédant sa naissance. Elle se donna du temps pour se calmer, puis descendit à la cuisine.

– Ça va mieux?

– Oui, grand-mère, ça va un peu mieux.

– Veux-tu du lait chaud?

– Au chocolat?

Marguerite s'affolait tandis que Florence chauffait le lait. «Une seule question, se répétait-elle, une seule.»

– Nous avons regardé des films et nous avons vu grand-père. Comme il était beau!

Florence souriait.

– Ensuite, nous avons regardé des photos. Il y avait l'oncle Antoine tout jeune, et...

– Antoine! Il revient, Marguerite! Antoine revient! J'ai reçu un télégramme ce soir!

Florence jubilait. Habituellement si calme et si réservée, elle n'arrêtait pas de parler, de gesticuler. Marguerite comprit que l'heure n'était pas aux interrogations. Sa grand-mère était trop heureuse pour qu'elle lui gâche sa joie et risque inutilement une rebuffade à propos de sa question. Elle but son chocolat chaud en écoutant Florence, qui, tout à coup s'assombrit en avouant son inquiétude à propos d'Antoine.

– Tout ce temps qu'ils ont mis à le retrouver! C'est quand même pas normal! Et puis il y a autre chose, aussi. Tu te souviens de la chaîne et du petit cœur d'or qu'il m'avait fait acheter? J'avais prétendu que c'était pour une amie qui lui rendait des services, mais, je peux bien te le dire, maintenant, sa lettre disait : «Elle se nomme Juliette et elle sera ma femme.»

– De quoi avez-vous peur, grand-mère?

– D'un rêve que j'ai fait. Un rêve où le sang coulait. J'ai d'abord cru que c'était celui d'Antoine, mais sans jamais le croire mort pour autant. Maintenant, je me demande si...

– Si c'était le sang de Juliette?

Florence se retira dans sa chambre et la question demeura sans réponse.

Chez Max Beauvais, dans le grand bureau du troisième, Gérard avait l'air abattu tandis que Florence s'enthousiasmait.

– Tu verras comme c'est moderne. Et puis les vêtements féminins nous apporteront un nouveau défi! Rien de chic, mais du solide à prix abordable. Ce sera très rentable, Gérard, et c'est ce qui compte. Avec le temps, il y aura de l'emploi pour toute la lignée des Grand-Maison au sein même de nos entreprises!

Gérard ne pouvait concevoir que le magasin Max Beauvais serait vendu au profit d'une manufacture de vêtements féminins. Il ne pouvait s'imaginer travaillant ailleurs que dans ce grand bureau lui rappelant son père et dans lequel il se sentait plus à l'aise que dans sa propre maison. Il retint pourtant ses réflexions et c'est une tout autre préoccupation qu'il exprima.

– J'ai finalement donné mon assentiment au mariage de Colette. Pour le mois prochain.

– C'est donc ça qui te met dans un état pareil?

– André Delorme est loin du mari dont je rêvais pour ma fille!

– Tu peux encore refuser!

– Vous verrez bien, d'ici peu, si elle m'a laissé le choix!

Florence n'était pas certaine de bien comprendre et préféra se taire. «Pourtant, se dit-elle, il n'y a pas cinquante-six manières de forcer la main de ses parents.»

– Je prendrais bien un verre de porto si tu voulais m'accompagner.

Tandis qu'il emplissait les verres, Florence nota l'affaissement des épaules de son fils, ses cheveux de plus en plus grisonnants.

– Si jeunesse savait! dit-il en tendant un verre à sa mère.

– Et si vieillesse pouvait effacer les choix de jeunesse!

Gérard sourit à sa mère en pensant qu'ils sauraient toujours se comprendre à demi-mot.

– Pour ce qui est de la vente du magasin, je dois admettre que vous avez raison, malgré ce qu'il m'en coûtera de l'abandonner. D'ici quelques années, les grands magasins du centre-ville nous dameraient le pion, de toute façon.

– Et ma proposition de te consacrer uniquement à la gestion de nos affaires?

– J'accepte, mais je voudrais d'abord me reposer, prendre des vacances.

– Pour une fois, Gérard, pars pour la Floride, chez les Richard. Souviens-toi comme c'est beau!

– Oui. Antoinette aussi a bien mérité de se reposer.

Florence trouva qu'il y avait soudain beaucoup d'acceptation de la part de Gérard, mais ne s'en inquiéta pas outre mesure.

Le soleil avait la douceur d'une caresse et nimbait les pélicans qui rasaient deux par deux les eaux de la baie. Un palmier tordu par l'âge se courbait à l'ombre d'un autre, plus vigoureux, et la brise saline agitait mollement leurs grandes feuilles palmées qui, telles des mains ouvertes, saluaient les premières heures du jour. Sur la terrasse, Gérard et Antoinette buvaient leur café, les yeux grands ouverts sur la beauté des lieux.

– Je souhaite que ces vacances soient les plus belles de notre vie, Antoinette.

«Je le voudrais bien, moi aussi, mais je n'y crois plus tellement», pensa-t-elle en lui souriant.

– J'ai choisi la femme la plus douce et la plus généreuse qui soit. Deux qualités qui me font défaut et que je t'envie.

Antoinette sentait que Gérard attendait qu'elle parle à son tour, qu'elle souligne peut-être ses qualités à lui ou dise tout simplement qu'il était bon de se retrouver seuls dans un lieu de rêve, mais rien d'autre que l'ennui de leur vie commune ne venait à son esprit.

– Un peu de café? demanda-t-elle pour cacher son embarras.

«Une eau dormante, pensa Gérard en regardant sa femme lui verser du café. Comment ai-je pu croire un seul instant que ces vacances allaient nous rapprocher?» «Une vie ennuyante à dormir debout, se dit Antoinette en tendant sa tasse à Gérard. Comme celle des saints qu'on nous forçait à lire au couvent. Les plus belles vacances de notre vie à tenter de cacher notre ennui? Beau programme!» Un voilier filait sur les eaux de la baie, toutes voiles dehors.

— Que dirais-tu d'une journée en mer?

— Gérard! Tu sais bien que j'ai peur de l'eau!

Appuyé au chambranle de la porte, Antoine restait à l'entrée de son atelier, sur lequel il jetait un regard étranger. Depuis les fenêtres du solarium, Florence observait son fils. «Faites qu'il entre, mon Dieu, qu'il touche ses outils, qu'il sente la bonne odeur du bois. Faites qu'il ne souffre plus, mon Dieu, ou pas autant. Donnez-moi sa peine! Donnez-la-moi au centuple s'il le faut, je la prendrai! Faites que la vie revienne en lui! Comment voulez-vous que je continue de croire en votre bonté, sinon?»

Antoine referma la porte de son atelier et regagna la maison. Une odeur de soupe au chou flottait dans l'air. Sa préférée. Et la préférée de Juliette. Il ressortit aussitôt et demeura sur la première marche du petit escalier, face aux lilas qui bourgeonnaient. «Le muguet est en fleurs! Viens offrir un brin de muguet à ta fiancée du printemps!» Antoine entra de nouveau dans la maison et se rendit à sa chambre. Il ferma les volets, tira les tentures, s'étendit sur son lit et ferma les yeux. Le sommeil n'allait pas venir, il ne se faisait pas d'illusions, mais il ne savait plus où aller ni que faire de son corps.

Étendue à plat ventre sur son lit, Florence étouffait ses pleurs dans les oreillers. Dans la cuisine, Tatiana ajoutait inutilement des épices à la soupe au chou, maugréant contre sa fadeur, contre la tiédeur de sa Vierge de tendresse, contre la froideur de la vie. Accoudée aux fenêtres de la petite maison, Marguerite suivait des yeux une branche morte que la rivière charriait à grande vitesse.

Elle avait trop de questions à poser à Antoine pour qu'il s'évade ainsi dans le silence sans qu'elle réagisse. Elle devait l'aider et se jura de le faire.

La famille Grand-Maison avait attendu que Gérard et Antoinette reviennent de Floride pour célébrer le retour d'Antoine, mais la fête n'eut pas lieu. Quand Florence en avait parlé à son fils, il avait hoché la tête négativement et elle avait tout annulé. Puis, à quelque temps de là, alors qu'Antoine maigrissait à vue d'œil et n'était toujours pas sorti de son mutisme, Marguerite le convainquit de se faire soigner. Son hospitalisation allait durer près d'un mois, durant lequel il se rattacherait à la vie tant bien que mal.

Tandis qu'il se rendait à l'hôpital, le souvenir des derniers mois passés en France lui était revenu à la mémoire. Après avoir bercé Juliette jusqu'à l'aube, il était sorti de sa torpeur et avait organisé les funérailles de toute la famille. Après l'enterrement, il avait parcouru la basse Normandie, offrant ses services en échange du gîte et de la nourriture et travaillant comme un forcené partout où il s'arrêtait quelques jours, incapable de se fixer bien longtemps au même endroit. Plusieurs mois d'errance lui avaient fait comprendre qu'il traînait son mal de vivre d'un lieu à un autre et qu'à ce compte-là il valait tout aussi bien rentrer au pays.

«Me refaire une santé puis me remettre au travail, s'était dit Antoine en entrant à l'hôpital. Travailler pour ne plus penser, dormir, manger, et chaque jour recommencer. Rien d'autre!»

Un dimanche de juin très doux, très calme, alors que Florence était seule à la maison, tandis qu'Antoine était encore à l'hôpital et que Marguerite était partie avec la famille de Gérard en pique-nique, elle sursauta en voyant entrer son fils.

– Gérard! Je te croyais parti pique-niquer avec ta famille!

– J'avais envie de paresser. La journée est si belle que j'ai décidé de m'étendre au bord de l'eau. Vous voulez m'accompagner?

Gérard descendit deux chaises longues et ils s'installèrent confortablement. Ils ne bougeaient pas, ne parlaient pas, se contentant de la rivière, du soleil et de la brise légère. Florence allait s'assoupir quand Gérard lui dit :

– Si la vie était toujours aussi douce que cette minute présente, elle vaudrait la peine d'être vécue jusqu'à cent ans.

– C'est une entrée en matière pour me raconter la suite de ta vie?

– Non. C'est une façon de vous dire que je suis bien à vos côtés.

Florence ferma les yeux en souriant. «Prendre chaque petit moment de bonheur quand il passe, le garder au chaud dans son cœur et le ressortir aux mauvais jours.» Gérard bougea et elle se retourna vers lui. Il était debout.

– Tu pars déjà?

– Déjà, oui.

Ils remontèrent et Gérard rangea les chaises, puis, comme sa mère s'apprêtait à rentrer, il la prit par la main, l'attira vers lui et la garda dans ses bras de longues minutes. Ils se quittèrent sans un mot et Florence se sentit toute chavirée. Elle erra sans but dans la maison vide jusqu'à ce que l'horloge sonne deux heures et la ramène brusquement à la réalité. «Gérard ne va pas bien! Pas bien du tout! Il voulait me parler mais n'a pas osé! Il fallait que j'insiste! Ou que j'ose lui dire des mots tendres! C'est pourtant pas la mer à boire que de dire à ses enfants qu'on les aime!» Elle tournait en rond, incapable de se calmer. «Le lui dire, tandis qu'il est encore seul!» Sans plus attendre, Florence traversa chez Gérard et entra par la porte arrière.

– Gérard?

150

De la cuisine, elle passa à la salle à manger, qui s'ouvrait sur le salon. D'où elle était, elle ne voyait que le dos du fauteuil à bascule et le bras de Gérard qui pendait. Elle avança sur la pointe des pieds pour ne pas le réveiller brusquement, aperçut d'abord le revolver qui pendait au bout de la main, s'élança jusqu'à son fils et poussa un cri de terreur en voyant le trou qui lui ouvrait la tempe. Elle sentit son corps se raidir, comme si le sang dans ses veines se glaçait. Quelques secondes lui suffirent alors pour remettre de l'ordre dans ses pensées. Elle se dirigea vers le téléphone et composa un numéro.

– Docteur Dagenais? Florence Grand-Maison. Écoutez-moi! Apportez votre trousse et venez chez Gérard en passant par l'arrière! C'est aujourd'hui que je vous demande de rendre à Arthur ce que vous lui devez! Faites vite!

Florence ne se demanda même pas comment les paroles d'Arthur s'étaient imposées, mais le fait est qu'elle se souvint mot pour mot de ce qu'il lui avait dit avant sa mort: «On ne sait jamais ce que nous réserve la vie. Si un coup dur devait t'arriver sans que tu saches vers qui te tourner, n'hésite pas à demander l'aide du docteur Dagenais. Surtout si le service se rapporte à l'honneur! Garde cette information en réserve mais ne l'oublie pas, car il me doit une fière chandelle.»

Le docteur arriva en sueur, au bout de quelques minutes. Florence ne lui laissa pas le temps de parler.

– Gérard s'est suicidé. Je vous demande, au nom d'Arthur, de m'aider à camoufler son suicide en meurtre. Le temps presse!

Le médecin examina rapidement la tempe, prit le revolver et le mit dans sa trousse.

– C'est plausible. Montez à leur chambre, prenez les bijoux d'Antoinette et revenez avec deux taies d'oreiller. Attendez!

Il fouilla dans sa trousse et lui tendit une paire de gants chirurgicaux.

– Mettez-les!

Tandis que Florence montait à l'étage, il sortit le portefeuille des poches de Gérard, lui retira sa montre, mit le tout dans sa trousse. Il commença ensuite à rassembler les objets de valeur du salon et de la salle à manger. Quand Florence revint, ils les déposèrent dans les taies d'oreiller avec les bijoux, le revolver, la montre, le portefeuille et les gants chirurgicaux.

– Où les cacher?

– Dans l'atelier d'Antoine! En passant par l'arrière, vous n'avez qu'à longer le terrain et passer à travers les buissons! Personne ne pourra vous voir entrer dans l'atelier. Faites vite!

Malgré ses soixante-treize ans bien sonnés, le docteur Dagenais ne mit pas longtemps à revenir.

– Vous devez maintenant téléphoner à la police, lui dit-il.

Florence n'avait jamais réfléchi d'une façon si intense. Avant ce coup de téléphone, elle devait trouver la raison qui l'avait fait traverser chez son fils. Une raison simple, banale, afin que personne ne soupçonne son inquiétude et en vienne à la conclusion du suicide. «Aussi banale que de venir emprunter de la crème, se dit-elle. Oui, pour faire du sucre à la crème et l'apporter ce soir à l'hôpital, à Antoine qui en raffole. Comme je sais qu'Antoinette fait souvent de la crème fouettée, j'étais à peu près certaine qu'elle en aurait.» La raison de sa venue chez Gérard étant trouvée, elle téléphona aux policiers. En raccrochant, elle semblait encore en pleine possession de ses moyens.

– Docteur Dagenais, comment vous remercier?

– Vous n'avez pas à me remercier, madame Grand-Maison. J'ai simplement remis mon dû.

Le vieux médecin ne pouvait évidemment pas exprimer à Florence le sentiment de fierté qu'il ressentait. Si Arthur l'avait jadis sorti d'une situation scabreuse, épargnant la honte à sa famille, voilà que grâce à lui la famille Grand-Maison serait protégée contre l'opprobre de l'Église, qui refusait d'enterrer les suicidés au cimetière. Il releva légèrement les épaules en se disant qu'il pouvait à présent mourir tranquille : Arthur et lui étaient quittes.

– Merci, docteur, du fond du cœur, merci ! disait Florence en lui serrant les mains.

Subitement, elle se mit à trembler de tous ses membres. Le docteur l'emmena à la cuisine pour lui éviter la vue de Gérard, l'aida à s'asseoir et sortit ensuite des cachets de sa trousse. Elle les refusa.

– Je dois garder toute ma tête !

C'est alors seulement qu'elle laissa échapper de sa poitrine une plainte sourde qui s'amplifia et se transforma en un cri sauvage. Au long cri succédèrent des sanglots désespérés, entrecoupés de paroles incompréhensibles pour le vieux médecin.

– Pourquoi ? Pourquoi ? Si seulement je le lui avais dit ! C'est ma faute ! C'est ma faute !

– Je t'en supplie, Igor, sors-le de son silence ! Madame a besoin de chacun d'entre nous, mais d'Antoine en particulier. Tu dois trouver les mots qui le toucheront ! Qui le ramèneront à la réalité ! Je t'en supplie ! Je ne peux plus supporter de la voir ainsi. Elle a trop de mal !

Igor, quant à lui, ne pouvait plus supporter de voir sa femme dans cet état. « Trop de drames s'abattent sur la famille Grand-Maison. Il faut que le vent tourne en leur faveur, que cesse cette nuit noire et que reviennent les beaux jours. » Tatiana au creux de ses bras, il se remémora tout à coup une autre nuit noire, au bout du quai, aux côtés d'Antoine qui lui annonçait son départ. Peu à peu, la conversation de cette nuit-là lui revenait à la mémoire.

– Je dois partir, maintenant. Je pense avoir trouvé les mots, ma tsarina.

Igor ramenait à présent Antoine de l'hôpital. Il venait de lui annoncer le meurtre crapuleux de son frère et lui parlait du désarroi de la famille, du besoin qu'on avait de lui. Antoine hochait la tête sans répondre. Igor prit le chemin du Sélect et stoppa la voiture non loin du quai principal. Il descendit et fit signe à Antoine de le suivre au bout du quai, où ils s'assirent tous les deux. Il sortit ensuite un flacon de vodka de sa poche et se mit à boire sans offrir une goutte à Antoine.

— Je me souviens d'un certain soir où tu m'as annoncé ton départ, de la douleur que j'ai ressentie, de la peur que j'ai éprouvée. Je me souviens de tout, jusqu'aux paroles prononcées ce soir-là. Tes paroles à toi! Pas celles d'un autre, les tiennes! Tu voulais connaître ta valeur, me semble-t-il. Savoir qui tu étais! Un héros ou un lâche? C'est bien ce que tu voulais?

Antoine prit le flacon des mains d'Igor et avala une gorgée.

— Ta mère a trouvé des médailles au fond de ta valise. J'en déduis que tu es un véritable héros, ce dont j'étais convaincu avant même ton départ. Ce que j'ignore, par contre, c'est la raison de ton silence, de ton apathie.

Antoine ingurgita cette fois une énorme rasade.

— Elle s'appelait Juliette.

Igor attendit la suite, mais Antoine ne parla plus.

— J'avais un fils, Antoine. Il a vécu quelques heures et je l'ai perdu, sans même avoir le temps d'accumuler des souvenirs. J'ai également perdu ma famille, ma patrie! Ta mère vient de perdre un fils, après en avoir perdu un autre l'an passé, sans parler des jumeaux, de son mari, de son père, de sa mère, de frères et de sœurs, de sa grande amie. Nous passons notre vie à perdre ceux que l'on aime!

Antoine ne parlait toujours pas. Igor vit pourtant, au pli creux barrant son front, qu'il l'écoutait.

— Je ne pense pas que la valeur d'un homme se mesure aux grands gestes d'éclat qu'il accomplit. Tu l'as sans doute compris, puisque tes médailles traînent au fond d'une valise. Sa valeur se révèle par l'amour qu'il sait prodiguer, par la compassion, par l'acceptation qui exige le dépassement de soi. Peut-être avais-tu besoin d'aller à la guerre pour découvrir de quoi tu étais vraiment capable, mais c'est ici et maintenant que ta valeur réelle reste à prouver. Ta mère a besoin de toi, Antoine!

Igor reprit le flacon des mains d'Antoine et but à son tour.

– Les grands discours donnent soif! lança-t-il en riant.

– Et ils donnent à réfléchir, dit sérieusement Antoine.

En revenant à la maison, il se dirigea aussitôt vers la chambre de sa mère. Il entra sans frapper et la rejoignit au solarium. Incapable d'exprimer par des mots les sentiments qui l'agitaient, il ouvrit les bras et Florence s'y réfugia.

– Antoine! Antoine!

– Je n'ai pas grand-chose à offrir mais je suis avec vous.

– Et ça me suffit!

Florence pleurait mais Antoine gardait les yeux secs, attentif à la vie qui revenait en lui, qu'il sentait battre à grands coups douloureux.

«Ce soir, mémère, j'ai reçu une brique sur la tête! J'aurais dû m'y attendre, pourtant. Lucienne se marie et sa mère a demandé à être placée dans un foyer, parce que sa santé est trop fragile. Tout ça le même soir! Je vais me retrouver toute seule, mémère. C'est comme si j'avais joué au Parchési et qu'après avoir réussi à monter toutes les échelles, j'étais tombée sur le plus gros serpent du jeu, celui qui nous fait redescendre jusqu'en bas! En bas de la côte, mémère, à zéro. J'ai plus de courage et j'ai juste envie de pleurer toutes les larmes de mon corps.

«Je vais commencer à me chercher un petit appartement, ce qui veut dire moins d'argent à mettre de côté pour Marguerite. Si seulement je pouvais en trouver un pas trop cher! Je remets ça entre vos belles vieilles mains, parce que moi, comme c'est là, j'ai plus envie de grand-chose. Même que, si le bon Dieu pouvait être assez bon pour venir me chercher dans mon sommeil, je m'en plaindrais pas. La vie est trop dure ! Bonne nuit, mémère. À demain.»

La mort de Gérard avait affecté Antoine mais l'avait forcé à se pencher sur la douleur de sa mère, et c'est ainsi que, depuis son retour de l'hôpital, il avait passablement changé. Il se nourrissait mieux et reprenait du poids ; il travaillait du matin au soir et parfois très tard dans la nuit. Il s'était lancé dans la fabrication de petits meubles luxueux auxquels il imprimait un style français de toutes les époques désirées, et, du jour au lendemain, son carnet de commandes avait débordé. Certains soirs où il livrait ses meubles, il passait la nuit auprès d'une cliente esseulée et Florence notait alors chez lui un regain de vie. Elle fermait d'autant plus facilement les yeux sur les incartades de son fils qu'il devenait, lors de ces lendemains, un peu plus loquace que de coutume.

La mort de Gérard remontait à plus de deux mois quand Marguerite décida de passer à l'attaque. Pour arriver à ses fins, elle avait usé d'une patience d'ange, attendant le bon moment et planifiant minutieusement ses questions avant d'annoncer la petite fête qu'elle organisait en l'honneur d'Antoine. Malgré la mort encore récente de Gérard, chacun trouva l'idée excellente et la fête pas du tout déplacée, vu l'intimité de la rencontre.

Pour l'occasion, cousins et cousines s'étaient donc entassés dans la petite maison, sans se soucier de la chaleur moite qui y régnait. Avec l'aide de Colette, ils avaient composé une chanson pour souligner le bonheur de son retour, et chacun lui avait offert un présent. Florence les avait rejoints avec une collation, incluant sa fameuse dînette, et Antoine fut profondément touché de l'amour ainsi exprimé, plus qu'il ne sut le dire.

Florence prit de nombreuses photos et s'amusa de la compagnie de ses petits-enfants. Elle revenait de si loin que même la grossesse de Colette, beaucoup plus apparente que ses quatre mois de mariage le permettaient, ne pesait plus très lourd dans la balance. Plus rien d'ailleurs n'avait la même importance que par le passé. La vie continuait, elle réapprenait à la vivre, et cela seul suffisait.

Le soir de cette petite fête, Marguerite s'arrangea pour se retrouver seule en compagnie d'Antoine. Comme elle l'avait espéré, il était d'excellente humeur et sa conversation, plus enjouée qu'à l'ordinaire. Ils discutèrent de tout et de rien avant qu'elle aborde le sujet des photos concernant Simone et amène habilement Antoine à lui en parler. Elle apprit ainsi sa maladie et son séjour au sanatorium, avant son départ pour le Bengale afin d'œuvrer auprès des sœurs missionnaires.

– Depuis quand est-elle partie de la maison?

– Si ma mémoire est bonne, elle est partie pour le Bengale l'année du mariage d'Irène. Oui, en 1926. Elle est donc partie de la maison en 1925, et, comme seuls nos parents pouvaient la visiter au sanatorium et qu'elle est partie très vite pour le Bengale, je ne l'ai jamais revue depuis. Ça fait tout un bail!

Sans le savoir, Antoine avait fourni les réponses avant que toutes les questions soient posées, et aucun doute ne subsistait à présent dans l'esprit de Marguerite. Elle dormit à peine cette nuit-là, trop occupée à échafauder des plans. Elle opta finalement pour une demande auprès des sœurs missionnaires, en tant qu'infirmière, et se promit qu'elle deviendrait elle-même missionnaire au Bengale s'il le fallait, mais que rien ne l'empêcherait de retrouver Simone.

Épuisée d'émotion, elle allait sombrer dans le sommeil quand une rage sourde l'envahit sournoisement, puis, d'un coup, l'éveilla complètement. Florence était sa vraie grand-mère, venait-elle de réaliser, et cette nouvelle réalité ne l'empêchait pas de la haïr au point de désirer sa mort. Comment avait-elle osé la priver de sa mère durant dix-neuf ans? se demandait-elle. À bout de forces, après avoir jonglé un long moment avec des idées de vengeance, elle s'endormit en pensant que Dieu n'avait pas été si injuste, après tout, en lui enlevant ses deux fils.

Quand Roger entra au salon, guindé dans son air hautain qui traduisait plutôt une grande timidité, Florence remarqua qu'il ressemblait de plus en plus à Gérard et elle eut du mal à cacher son émotion quand il se pencha pour l'embrasser.

– Rien de grave, grand-mère? demanda-t-il en s'assoyant.

– Mon pauvre enfant, s'il fallait que ce soit le cas, je pense que mon cœur ne résisterait pas! Non! Si je t'ai fait venir, c'est pour t'annoncer une bonne nouvelle. Dis-moi, est-ce que ton père t'a déjà parlé de l'horloge?

– De l'horloge? Non. Il me semble que non, mais…

– Mais quoi?

Roger hésitait, tandis qu'il repensait à un moment de son enfance. C'était l'anniversaire de ses dix ans et son père l'avait invité au restaurant, sans personne d'autre, pour une rencontre d'homme à homme, avait-il dit. Durant le repas, il avait mentionné un bien de famille qui lui reviendrait un jour et dont il devrait prendre grand soin. Il n'avait pas osé lui demander de quel bien il s'agissait. Il désirait tant lui plaire qu'il s'appliquait à ne poser aucune question inutile, à bien se tenir, à manger le plus dignement possible, et si cette sortie l'avait empli de fierté, elle l'avait également épuisé. En relevant la tête vers Florence, un sourire un peu triste se dessinait sur ses lèvres.

– Un bien de famille, dit-il comme s'il poursuivait tout haut sa pensée. Mon père parlait-il de l'horloge?

– Oui. Maintenant, Roger, elle t'appartient.

L'incrédulité se peignit d'abord sur son visage, mais, très vite, son esprit rationnel reprit le dessus.

– Si l'horloge appartenait à mon père, comment se fait-il qu'elle soit demeurée ici?

158

– C'est une histoire entre lui et moi. Aujourd'hui, elle t'appartient et tu peux en prendre possession. Je vais d'ailleurs demander à Antoine de t'aider à la transporter chez vous.

Florence s'était relevée et Roger du même coup. Il retint sa grand-mère, qui s'apprêtait à quitter le salon.

– Grand-mère, je vous en prie, racontez-moi cette histoire.

– Elle ne te concerne pas, Roger.

– C'est un mauvais souvenir? C'est pour ça que vous ne voulez pas en parler?

Florence se rassit en soupirant. Son petit-fils souffrait assez de la mort de son père sans qu'il aille imaginer en plus une histoire triste. Elle prit les mains de Roger entre les siennes et lui raconta un certain soir de tempête, quelques jours avant la mort de son grand-père, mais omit volontairement la fin, alors qu'elle et Gérard pleuraient ensemble, chacun de leur côté du mur.

– Tu vois, dit-elle les yeux pleins de larmes, c'est une des plus belles histoires de ma vie. Il me donnait, à moi, son bien le plus précieux.

– Je vous le donne aussi, grand-mère, pour la durée de votre vie.

– C'est justement ce que je voulais éviter! Ne me fais pas regretter de t'avoir raconté cette histoire, veux-tu?

– Quel genre d'homme je serais si je ne savais pas respecter la parole de mon père? Grand-mère, laissez-moi honorer sa mémoire! Je saurai que l'horloge m'appartient et ça me suffira, croyez-moi!

– Tu es bien le fils de ton père! Dans ce cas, attends-moi un moment.

Florence quitta le salon et Roger en profita pour s'approcher de l'horloge. Tout comme son père et la plupart de ses ancêtres l'avaient fait avant lui, il caressa le bois du plat de la main, puis huma l'odeur de la cire d'abeille, et remarqua une légère entaille qui lui avait échappé jusque-là, s'appropriant l'horloge avec respect. En entendant les pas de sa grand-mère, il retira vivement sa main. Florence tenait un écrin et arborait son sourire lumineux.

– Il y a des occasions où les mots ne suffisent pas à exprimer les sentiments. J'ai pensé que ma gratitude devait s'accompagner d'un remerciement tangible. Quand le moment sera venu, que tu auras trouvé la femme de ta vie, tu pourras lui offrir ce collier.

Roger ouvrit l'écrin tendu et pensa aussitôt à l'éclat qu'ajouteraient les perles au teint de Marie-Renée.

– En attendant que ce jour arrive, regarde derrière l'horloge et fais ce que tu dois faire.

Florence lui remit un canif, l'embrassa et quitta le salon. Roger déposa l'écrin, tira l'horloge vers lui avec précaution et découvrit à son tour la lignée des Grand-Maison, depuis le premier jusqu'à son père. Il en éprouva un tel sentiment d'appartenance que, tout en s'agenouillant pour inscrire la date du décès de Gérard et son propre nom juste au-dessous, il remercia son père par une promesse qu'il allait regretter sa vie durant.

En ce dimanche matin tout ensoleillé, l'odeur du café et des crêpes embaumait la cuisine et agissait joyeusement sur l'humeur de Florence. Elle avait dressé la table pour trois et lisait la pensée du jour au calendrier tandis qu'Antoine faisait sauter la dernière crêpe.

– Vous pouvez dire à Marguerite de venir? C'est prêt!

Florence se rembrunit.

– Ça fait une semaine que Marguerite ne m'adresse pas la parole. Tu veux bien t'en charger?

– Marguerite ne vous parle pas? Et pourquoi donc?

– Si seulement je le savais!

Marguerite arriva au même moment, se versa une tasse de café et prit place à la table, sans aucune salutation. Antoine agit comme s'il ne remarquait rien.

– Combien de crêpes pour la belle Marguerite, ce matin? Deux? Cinq? Dix?

Il déposa devant elle une montagne de crêpes, ce qui aurait dû la faire rire, car il y avait fort longtemps qu'Antoine n'avait été d'humeur si gaie. Rien n'y fit. Elle se contenta de hausser les épaules et se servit une crêpe, malgré son peu d'appétit. Depuis une semaine, son univers avait basculé. Elle ne voulait pas parler, de peur de crier, de hurler sa rage. Deux jours la séparaient encore d'un premier rendez-vous auprès des sœurs missionnaires, qui, elle en était convaincue, la renseigneraient très vite sur ses chances d'aller rejoindre Simone au Bengale. D'ici là, elle entendait retenir sa colère, mais la tension se révélait plus forte que prévu. Le simple fait d'avaler une bouchée lui demanda un effort surhumain. Tendue, Florence lança la première boutade qui lui vint à l'esprit.

– On se croirait au couvent! Comme si on avait prononcé des vœux de silence!

Pour Marguerite, qui ne pardonnait pas le silence de sa grand-mère, les mots ne pouvaient pas être plus mal choisis. Ils furent la goutte d'eau qui fit déborder le vase.

– Un imbécile a déjà dit que le silence est d'or! Moi, je dirais plutôt qu'il empêche la vérité d'éclater au grand jour et qu'il m'a rendue malheureuse toute ma vie! La parole vaut mille fois mieux!

– Si la parole vaut si cher, arrête de parler par énigmes et vide ton sac!

Antoine avait parlé sur un ton dur, car il ne supportait plus la tension qui régnait dans la pièce depuis l'entrée de Marguerite. De son côté, Florence s'était raidie sur sa chaise.

– Le sac de ta mère est plus lourd que le mien! Plein de secrets! Comme le tien, Antoine! On connaît l'existence d'une certaine Juliette, mais rien d'autre! Le silence! Toujours le silence! Ce qui est arrivé à ta Juliette, on l'ignore, mais une chose est certaine : tu as connu l'amour avec elle! Tu as des souvenirs d'elle! Le souvenir de ses odeurs, de ses paroles, de ses gestes! Qu'est-ce que j'ai de ma mère, moi? Rien! Rien du tout!

Antoine était muet de stupeur et tremblait légèrement tandis que Florence avait peine à se contrôler.

– Étais-tu obligée d'écorcher Antoine pour en arriver là?

– Tout de suite prête à le défendre! Jusque dans son silence! Quand on en est rendu à se laisser hospitaliser, pour ne pas dire interner, au lieu de parler, c'est pas du silence, c'est de la folie!

Florence se leva d'un bond, comme si un ressort l'avait soulevée de son siège, et gifla Marguerite sans ménagement.

– Arrêtez! Arrêtez! cria Antoine en empoignant sa mère.

– Se laisser interner ou frapper sans rien dire, c'est du pareil au même! Moi, j'en ai fini avec le silence! Je pars rejoindre ma mère au Bengale!

Marguerite se frottait la joue et attendait la réaction de sa grand-mère. Antoine, dont les yeux roulaient de l'une à l'autre, relâcha son emprise et Florence en profita pour s'asseoir, car ses jambes ne la portaient plus. Puis, durant quelques instants qui semblèrent à chacun une éternité, personne ne bougea, comme si la vie venait de suspendre son cours en les figeant sur place.

– Simone n'a jamais mis les pieds au Bengale, dit finalement Florence.

Marie-Renée marchait d'un bon pas. Le coup de fil de Roger l'intriguait autant que le lieu du rendez-vous. En atteignant l'entrée du parc, elle courut jusqu'au grand saule, celui qui se mirait dans l'eau de la rivière, et freina son élan pour ne pas se jeter dans les bras de son cousin.

– Viens t'asseoir, dit-il en prenant sa main.

Ils s'installèrent au pied de l'arbre, main dans la main, et Marie-Renée mit un certain temps avant de réaliser qu'une menace planait. Roger n'avait pas plongé son regard dans le sien et il laissait passer de précieuses minutes sans dire sa joie de la retrouver, ce qui était inhabituel.

– Dis-moi vite ce qui ne va pas !

– C'est une longue histoire, Marie. Une histoire qui remonte à nos ancêtres.

– J'ai tout mon temps ! Mais fais vite, que je me sente rassurée.

Roger raconta alors l'histoire de l'horloge et de son sentiment d'appartenance face à la lignée des Grand-Maison qui s'était étalée sous ses yeux.

– Je ne sais pas si tu arriveras à comprendre la suite, parce que je n'y arrive pas vraiment moi-même.

– Essaie, on verra bien !

– Je me suis senti responsable de perpétuer la lignée de la famille. Si l'horloge me revenait à moi, il me semblait que c'était un signe du destin pour m'indiquer la route à suivre. J'ai alors promis à mon père d'honorer à mon tour le nom des Grand-Maison en lui assurant une descendance. Une promesse solennelle.

– Ce n'est que ça ? Tu m'as fait peur ! Nous pourrons adopter des enfants, si tu y tiens !

Roger ne répondit pas.

– Alors, nous en ferons !

– Je n'ai pas changé d'idée à ce sujet. C'est trop risqué.

– Es-tu en train de me dire qu'il n'y a pas d'avenir pour nous deux ? Pourquoi passes-tu par quatre chemins, au lieu de dire que tu ne m'aimes plus ?

– Parce que je t'aime de toute mon âme, de toutes mes forces, et que je t'aimerai toujours.

– Roger! Me prends-tu pour une demeurée? Tu aurais pu trouver une meilleure excuse!

– Je le dois à mon père! Tu dois le comprendre!

– Qu'est-ce que je dois comprendre? Qu'on ne peut pas faire d'enfants? Qu'on ne peut pas en adopter? Et tout ça à cause d'une horloge?

– Il a mis tous ses espoirs en moi! Je ne peux pas le décevoir!

– C'est bien ce que je disais, tu ne m'aimes plus!

Roger savait que nul mot ne pourrait rendre ce qu'il ressentait, que le jugement de son père prévalait, au détriment de son bonheur. Il sortit l'écrin de sa poche, l'ouvrit, en sortit le collier de perles et le passa au cou de Marie-Renée.

– En me l'offrant, grand-mère a dit que c'était pour la femme de ma vie. Je me marierai avec une autre femme que toi et j'aurai des enfants, mais, jusqu'à mon dernier souffle, tu seras la femme de ma vie!

– Si j'étais la femme de ta vie, tu ne pourrais pas imaginer la vie sans moi!

– Marie! C'est déjà si difficile!

– Je ne suis plus ta Marie! Je ne suis plus rien! Tu peux garder ton collier! dit-elle en le lui lançant à la figure.

– Marie!

– Je ne veux plus jamais que tu m'appelles Marie! Plus jamais!

Tandis qu'elle s'enfuyait à travers le parc, Roger restait appuyé au saule qui se mirait dans l'eau. Il ferma les yeux et pensa qu'il serait malheureux jusqu'à la fin des ses jours mais qu'il n'aurait pas failli à son devoir. Il pensa aussi à l'horloge et souhaita que sa grand-mère vive longtemps, afin qu'il ne soit pas forcé d'en prendre possession et d'avoir constamment sous les yeux l'objet de son malheur.

– Émile ! Une lettre de ta sœur !

Germaine n'eut pas à l'appeler deux fois, car Émile abandonna immédiatement son jardinage. Elle lui remit l'enveloppe et prétexta son repas à commencer pour le laisser seul. Il vint la trouver au bout de quelques minutes, les yeux dans l'eau.

– Pas encore des mauvaises nouvelles ?

– Germaine ! Florence et Hortense viendront passer le mois d'octobre à la maison des Richard !

– Enfin ! Elle se rapproche de toi !

– Elle me demande pardon pour ce long silence et compte sur mon amour fraternel pour l'aider à surmonter les drames, attends que je retrouve les mots, oui, les drames qui succèdent aux drames, dit-elle, mais qui heureusement sont parfois entrecoupés de joies inattendues.

– A-t-elle écrit de quoi il s'agit ?

– Elle dit simplement que nous sommes invités à partager de belles retrouvailles, si le cœur nous en dit, et qu'elle attend mon coup de téléphone pour m'en parler. Te rends-tu compte, Germaine ? Pour la première fois de sa vie, ma sœur a besoin de mon amour !

– Si tu veux mon avis, elle a été bien bête de s'en passer si longtemps !

Le désordre complet régnait dans la chambre que partageaient Simone et Lucienne. Elles n'avaient jamais vu la pièce dans cet état et s'en amusaient comme deux petites filles. Mme Larose, qui les entendait s'esclaffer depuis un bon moment, s'amena de peine et de misère jusqu'à elles.

– Si vous pensiez m'abandonner au fond de ma cuisine pendant que tout le plaisir se passe ici, vous vous êtes mises un doigt dans l'œil !

En tassant les vêtements empilés sur les lits, elles se firent toutes trois une place pour s'asseoir.

– Bonne sainte bénite ! Mon vieux coffre !

– Un coffre du temps de Mathusalem, oui ! Avec toutes les informations que les sœurs missionnaires ont fournies à Simone et le vieux coffre en plus, pas d'inquiétude ! Sa famille va croire dur comme fer qu'elle arrive tout droit du Bengale !

Elles riaient, pliant et rangeant le linge en piles parfaites, l'entassant ensuite de leur mieux au fond du coffre.

– Réalises-tu la chance que tu as, Simone ? Et dire que tu me trouvais chanceuse de me marier ! C'est moi qui t'envie, maintenant ! Qu'est-ce que je donnerais pas pour être à ta place et retrouver mon garçon !

– Allons, allons, ma Lucienne. Tu sais bien qu'on pouvait pas faire autrement. Simone, sois gentille et va mettre un peu de musique. Apporte aussi de la limonade !

Quand Simone revint dans la chambre, Lucienne était blottie dans les bras de sa mère et s'essuyait les yeux.

– Bon ! Fini de brailler ! dit Lucienne en se relevant. Si on veut pas coucher par-dessus le linge de Simone, vaut mieux s'activer ! Avec tout ça, t'as pas répondu à ma question.

– Si je réalise ma chance ? Pas vraiment, Lucienne. Quand j'y pense, j'ai l'impression que c'est pas réel. As-tu déjà rêvé que tu rêvais ?

– Répète-moi ça !

– Tu dors, tu fais un rêve et, dans ce rêve-là, tu fais un rêve, tu comprends ? Tu rêves que tu rêves !

Mme Larose et sa fille riaient tellement que Simone abandonna l'idée de leur expliquer et rit finalement autant qu'elles. En reprenant son sérieux, elle leur dit :

– J'ai peur. Ça m'empêche d'être heureuse.

– T'as peur de quoi, Simone ? demanda Mme Larose. Pas encore ton idée de pas être assez belle pour ta fille ? Regarde-toi dans le miroir ! Avec ta nouvelle coupe de cheveux, tes vêtements à la mode, t'as rajeuni de dix ans ! Est-ce que tu penses que Lucienne m'aime pour ma beauté, par hasard ? Non ! Pour ma minceur !

Avec le rire, les peurs de Simone s'estompaient. Elle savait cependant qu'elles reviendraient toutes, face à sa fille. Ce moment où elles se tiendraient l'une devant l'autre pour la première fois de leur vie, elle l'espérait autant qu'elle le craignait.

Quand tout fut rangé dans le coffre et les valises, que l'ordre eut reprit son bon droit sur la chambre, les trois femmes retournèrent à la cuisine. Lucienne prépara du café et Mme Larose sortit un gâteau du garde-manger.

– Au lieu de pleurer sur notre séparation, j'ai pensé qu'il valait mieux s'empiffrer !

Elles pleurèrent un peu, malgré tout, car c'était pour chacune la fin d'une période où le rire et les pleurs s'étaient entremêlés, et durant laquelle une immense tendresse les avait liées.

Florence avait décidé d'offrir à Simone la chambre d'Adélaïde, qui, depuis sa mort, avait uniquement accueilli les invités de passage. Spacieuse, ses fenêtres donnant sur la rivière, elle avait tout de même perdu de son éclat d'antan. Antoine l'avait donc repeinte et Marguerite s'était chargée de renouveler les tentures et le couvre-lit. Optant pour le bleu, sa couleur préférée, elle espérait que ce fût également celle de sa mère.

Florence acheta un très beau coffret à bijoux et y déposa ceux d'Adélaïde. Il y avait son jonc de mariage, une broche et des boucles d'oreilles assorties, ainsi qu'une bague ornée d'une améthyste. Elle y avait glissé un petit mot qui disait : « Voici les bijoux de ta grand-mère. Porte-les en souvenir d'elle et de l'amour qu'elle a su te prodiguer, mieux que moi, hélas. »

La chaise berçante en cuir capitonné, assortie de son pouf, devait rester dans la chambre pour rappeler à Simone le souvenir de sa grand-mère, avait soutenu Florence, contre Marguerite qui la trouvait démodée. Ayant déniché le châle tricoté jadis par sa fille, Florence l'avait déposé sur le dossier de la chaise. Il était bleu. Marguerite comprit alors qu'elle ne s'était pas trompée dans son choix de couleur et la chaise lui parut ainsi plus acceptable.

Elle se tenait à présent au milieu de la chambre, heureuse du résultat final. Elle s'assura que le pli des tentures tombait parfaitement, réajusta la position du miroir au-dessus du chiffonnier, et, du plat de la main, lissa pour la centième fois le couvre-lit.

Elle monta ensuite à sa chambre et revint déposer sur le lit de Simone un album de photos. En prenant exemple sur Laurence, elle avait mis un grand soin à les placer par ordre chronologique, afin que sa mère puisse la voir grandir d'une page à l'autre. Puis, à regret, elle éteignit les lumières et referma la porte derrière elle.

Tel que convenu, Florence alla chercher Simone en taxi. Leur dernière rencontre remontait à plus de douze ans, ce qui ne facilitait en rien la conversation entre elles. Elles avaient d'ailleurs l'impression de s'être tout dit au téléphone, trois semaines auparavant, alors qu'elles s'entendaient sur un prétendu retour du Bengale, car ni l'une ni l'autre ne tenait à ce que la famille connaisse la vérité.

Il pleuvait à boire debout et Simone s'inquiétait en pensant à ses vêtements qui risquaient de se friper sous l'effet de l'humidité, et à sa coiffure qui ne tiendrait peut-être pas le coup. Florence, qui l'observait à la dérobée, la trouva bien mise, bien coiffée, mais ne sut pas trouver les mots pour le lui dire.

Pendant ce temps, face à son miroir, Marguerite pestait contre un bouton qui, pensait-elle, lui ravageait complètement le visage.

À force de vouloir le faire aboutir à tout prix, elle l'avait fait doubler de volume, et son attention se concentrait à présent entièrement sur cette excroissance de plus en plus énorme à ses yeux.

Alors que le taxi s'engageait dans la longue allée bordée de peupliers, le cœur de Simone battit plus vite. Antoine l'accueillit chaleureusement, tout en l'exhortant à entrer pour ne pas être trempée. Il aida le chauffeur à porter les bagages, et, comme ils montaient l'escalier en tenant de part et d'autre une poignée du vieux coffre, le fond de la malle céda et son contenu s'éparpilla sur les marches ruisselantes. Simone pensa mourir de honte, mais sa mère lui dit, en riant :

– Voilà ce qui arrive aux vieux coffres qui ont beaucoup voyagé. Viens voir, maintenant, la surprise que je t'ai réservée !

Simone suivit sa mère jusqu'à la chambre d'Adélaïde et, face à la porte fermée, elle retrouva sa jeunesse. L'espace d'un doux moment, elle pensa que sa grand-mère l'attendait de l'autre côté.

– Voici ta chambre, dit Florence en ouvrant la porte.

Simone aurait voulu parler, dire à tout le moins un simple merci, mais sa gorge se nouait et se refusait à la moindre parole. Le visage inondé de larmes, elle entra dans la chambre de sa grand-mère avec l'impression que le sol allait s'ouvrir sous ses pieds, tant l'émotion était forte.

– Je pense qu'il vaudrait mieux t'acclimater avant de rencontrer Marguerite. Prends ton temps, ma fille.

Simone acquiesça d'un signe de tête et Florence la quitta. Elle respirait difficilement et ses jambes tremblaient. Elle se dirigea vers la chaise berçante d'Adélaïde et s'y laissa choir. L'écharpe glissa et tomba sur son épaule. Elle s'en enveloppa. Elle ferma les yeux et huma l'air tandis que sa mémoire olfactive lui renvoyait l'odeur du tabac. Elle se berça un moment, serrant le châle amoureusement. «Merci, mémère, merci, merci ! Donnez-moi seulement la force d'arrêter de pleurer, sinon j'aurai l'air d'un vieux pichou au gros nez rouge.»

À la pensée que sa fille allait bientôt entrer dans la chambre, elle se releva d'un bond et se retrouva devant le miroir du chiffonnier. Elle vit le coffret à bijoux, tout comme elle avait vu l'album sur le lit en entrant, mais décida de ne rien toucher, de se consacrer uniquement à la tâche de reprendre ses esprits et de retrouver une apparence convenable.

L'horloge au salon sonna deux heures. À la porte, trois coups retentirent. Elle inspira profondément et releva les épaules.

– Entre, Marguerite.

Au Sélect, l'organisation du souper allait bon train. Igor et Tatiana y veillaient. Irène et Laurence décoraient la salle à manger de ballons et de guirlandes, et, comme au temps de leur jeunesse, elles avaient confectionné des cartons pour chaque invité, prenant un temps fou à décider de la place de chacun. Une cinquantaine de personnes étaient attendues, qu'un orchestre entretiendrait toute la soirée. Élisabeth clôturerait la fête par un court récital.

La salle à manger ressemblait à une fourmilière quand Hortense y entra.

– J'ai besoin d'un homme ou deux pour transporter mes fleurs !

Irène et Laurence s'extasiaient sur l'agencement des petits paniers destinés aux tables, débordant de pensées miniatures et d'œillets de poète. Flattée de leurs compliments mais un peu agacée par leur air emprunté, Hortense lança :

– C'est pas parce qu'on vient du fond de la campagne qu'on manque de goût ! Pas vrai ?

Elles n'eurent pas à répondre car, du fond de la salle, une voix familière avait retenti.

– Ça parle au diable ! Regarde-moi ça, Germaine ! Ça valait pas le déplacement ? On dira ce qu'on voudra, Florence a fait les choses en grand pour le retour de Simone !

– Oncle Émile! Quelle belle surprise! s'exclama Irène au bord du désespoir. Dis-moi que je rêve, Laurence, marmonna-t-elle.

– Ton oncle venu de si loin! Pour te raconter de bonnes histoires croustillantes! lui répondit Laurence en adressant son plus beau sourire à Émile.

Tatiana jeta un regard à la ronde, satisfaite du déroulement de l'après-midi. Tout serait prêt à temps pour le souper. Elle vint rejoindre Igor et lui souffla à l'oreille :

– J'aimerais pouvoir m'envoler et voir de près les retrouvailles de Simone et Marguerite.

– Ma tsarina est trop curieuse! Et mon petit doigt me dit que bien des gens tomberaient en bas de leur chaise ce soir s'ils apprenaient la vérité!

– À part nous, je ne pense pas que personne doute du séjour de Simone au Bengale. Le secret des Grand-Maison sera bien gardé!

En entendant la voix de Simone, Marguerite avait éprouvé un choc douloureux.

– Je reviens tout de suite! avait-elle crié en retournant à sa chambre.

Affolée, prenant subitement conscience qu'elle ne connaissait pas le visage de sa mère, elle avait été prise d'une peur panique. Si son visage était à l'image de sa voix douce et belle, elle-même ne serait pas à la hauteur et la décevrait au premier regard, croyait-elle. En se tournant vers son miroir, elle avait été encore plus horrifiée par la vue de son énorme bouton. Elle y avait appliqué une nouvelle couche de fond de teint, puis, prenant son courage à deux mains, elle avait redescendu l'escalier en respirant profondément.

Elle arrivait à présent à la chambre et relevait courageusement les épaules. La porte était grande ouverte et Simone se tenait debout au milieu de la pièce. Sa mère n'était pas jolie. Pas du tout vilaine, mais pas jolie. De soulagement, un grand sourire illumina alors son visage, laissant apparaître du même coup ses dents éclatantes.

– Comme tu es belle! murmura Simone.

Du coin de l'œil, Marguerite vit que le lit était recouvert de présents, des petits et des gros, enveloppés et enrubannés de bleu, mais ne s'y attarda pas. Elle referma la porte derrière elle, et la chambre, à ce moment même, se transforma en un lieu magique et secret, à l'abri du regard des autres. Au cœur de cet îlot d'amour tant espéré, plus rien n'avait d'importance, ni fausse pudeur, ni crainte de n'être pas à la hauteur. Quand elles se jetèrent l'une sur l'autre, sans retenue, un bonheur insoutenable les assaillit et leurs sanglots si longtemps étouffés éclatèrent enfin dans une même plainte rauque et sauvage.

Florence entendit leurs gémissements et ne sut pas comment supporter la douleur qui l'atteignait. Elle sortit de la maison en courant et descendit à la rivière. Dans son atelier, Antoine la vit passer en coup de vent et s'inquiéta. Il la suivit et l'observa du haut de l'escalier.

– J'ai mal, Arthur! J'ai mal! J'ai mal! J'ai trop mal! criait Florence à pleine voix.

Antoine en l'entendant reconnut sa propre douleur et commença à répéter le nom de Juliette. Pris de tremblements subits, il se hâta de retourner à son atelier. Dans un recoin sombre, il se laissa glisser sur le sol et se recroquevilla. Il mit longtemps à réaliser qu'il pleurait, et il mettrait beaucoup plus longtemps à comprendre qu'il ne pouvait pas refouler sa peine indéfiniment.

Les larmes versées ce jour-là, celles de Simone et de Marguerite, celles de Florence et d'Antoine, avaient la saveur amère de la vie, ce goût aigre qui forge les âmes dans l'éternité du moment présent.

1949

D'UN BOUT À L'AUTRE la province gelait à pierre fendre et Florence, en montant le grand escalier du couvent de Varennes, plissait les yeux sous la morsure du vent. Elle n'allait pas s'en plaindre, trop heureuse de passer quelques heures en compagnie de sa fille.

– Entrez vite ! dit Jeanne. A-t-on idée de sortir par un froid pareil !

– A-t-on idée, aussi, de te transférer ici en plein mois de janvier ! Et pour quelle raison ? Dieu seul le sait, ta Supérieure générale mise à part !

Jeanne suspendait le manteau de sa mère en souriant de sa remarque.

– Comme tu as l'air bien, ma fille ! C'est ton nouveau couvent qui te réussit à ce point ?

– Une nouvelle tâche, un nouveau défi ! J'avoue que le couvent lui-même y joue un grand rôle. Attendez de le visiter ! Quatre étages ! Des recoins partout ! Une chapelle superbe !

– Et la situation financière du couvent ?

Devant la perspicacité de sa mère, qui venait de mettre le doigt sur le point crucial de sa récente nomination, Jeanne ne put cette fois réprimer son rire.

– Je pense, dit-elle d'un ton espiègle, que la congrégation me prête la bosse des affaires. Celle des Grand-Maison ! Je me donne un an pour tout redresser.

– Ne va surtout pas te tuer à la tâche ! Après ce couvent, ce sera un autre et un autre encore !

Après la visite complète des lieux, elles se retrouvèrent dans le bureau de Jeanne. Les fenêtres donnaient sur le fleuve et laissaient généreusement pénétrer la lumière. Florence sut qu'elle imaginerait désormais sa fille aux fenêtres, les yeux rivés sur la beauté du Saint-Laurent. Comme à leur habitude, elles passèrent tous les membres de la famille en revue, et Jeanne s'enquit spécialement d'Antoine.

– À part certaines périodes d'abattement, que Marguerite l'aide à traverser, on peut dire qu'il travaille fort et que tout semble aller comme sur des roulettes. Pourtant, la tristesse au fond de ses yeux fait mentir les apparences.

– Après toutes ces années ! Comme il a dû l'aimer, sa Juliette !

– Si une autre Juliette se présente un jour sur sa route, j'allume tous les lampions de ta chapelle ! Je monterai même les marches de l'oratoire Saint-Joseph sur les genoux, tiens !

– Maintenant, parlez-moi de vous.

Cette façon qu'avait Jeanne d'aller à l'essentiel faisait fondre en partie la résistance de Florence et elle parlait alors aussi librement que son tempérament le lui permettait. Jeanne l'écoutait sans l'interrompre, puis posait habituellement une question inattendue, à laquelle sa mère pouvait répondre spontanément, tandis qu'elle éludait parfois, sur le mode ironique, certains sujets. Jeanne n'insistait jamais, ce jour-là excepté.

– Comment ressentez-vous l'exclusion de Simone et de Marguerite ?

La question était si directe que Florence eut du mal à retrouver son aplomb.

– Est-ce que par hasard elles m'auraient chassée de ma propre maison sans que je le sache ? demanda-t-elle avec un rire forcé.

– Elles vous ont fermé la porte de leurs rires, de leur complicité. Elles vous ont exclue de leur bonheur. Comment le ressentez-vous ?

– Comme un juste retour des choses.

La voix étranglée, elle fut incapable d'aller plus loin. Jeanne vit cependant qu'elle poursuivait une réflexion intérieure et n'insista plus. Cette phrase que Florence venait elle-même de prononcer résonnait dans sa tête comme si quelqu'un d'autre la lui répétait. Malgré la douleur de cette vérité à peine envisagée jusque-là, elle poussa plus loin sa pensée. «Ce que je ressens? J'en veux à Simone de ne pas m'aimer, sans même me demander si moi je l'aime! Je lui en veux de ne pas m'ouvrir les bras, quand les miens restent fermés! Je lui en veux, tout comme si la mère c'était elle et moi l'enfant!»

– L'envers d'une médaille nous réserve parfois des surprises, dit-elle au bout de longues minutes.

Elles se quittèrent sur un ton plus léger, mais, tandis que Florence descendait le grand escalier du couvent de Varennes, Jeanne priait déjà pour que sa mère découvre la voie menant au cœur de Simone.

Dans son petit salon russe, Irène prêtait une oreille attentive aux accords qui s'échappaient du grand salon, là où trônait à présent un superbe piano à queue. Sous les doigts d'Élisabeth, l'instrument donnait la pleine mesure de sa sonorité exception-nelle. «Un talent pareil doit s'épanouir», se répétait Irène, qui, tour à tour se laissait envahir par la beauté du jeu puis revenait à son projet. «Je dois l'emmener en France, lui faire connaître les meilleurs professeurs possibles!»

Lasse de faire les cent pas en ressassant les mêmes idées, Irène s'immobilisa et jeta soudain un regard nouveau sur la pièce. L'icône de la Vierge de tendresse, celle-là même que Tatiana avait mis tant de soin à exécuter pour son mariage, retint d'abord son attention. Elle admira une fois de plus la perfection de cette peinture sur bois, ainsi que bien d'autres qui formaient à présent un tout homogène et couvraient tout un pan de mur. Elle fit ensuite quelques pas vers la bibliothèque, où des ouvrages reliés de Dostoïevski et de Tolstoï, dans la langue originale, s'alignaient parmi d'autres livres sur les rayons, puis, du plat de la main, elle caressa au passage quelques bibelots qui rehaussaient le côté exotique du salon et lui conféraient son caractère russe.

Irène souriait. «La pièce préférée d'Élisabeth. Celle où on la trouve quand elle a du chagrin, quand elle veut réfléchir ou étudier, où elle a fait ses premiers pas, où Tatiana lui racontait de merveilleux contes et lui apprenait ensuite à les lire en russe. La pièce qui a permis à ma fille d'ouvrir son esprit à un autre monde, une autre culture, tout comme la France polira ses connaissances et fera éclater son talent.»

La décision d'Irène était prise et elle résolut d'en discuter avec Laurence sur-le-champ. Elle l'aiderait à organiser sa démarche, car encore fallait-il trouver les arguments pour convaincre Léopold du bien-fondé de son projet et lui faire comprendre qu'elle devait accompagner Élisabeth. Leur fille, après tout, n'avait que dix-huit ans.

Afin d'éviter que Laurence se méprenne sur ses intentions, elle omettrait de parler des propositions récemment faites à Philippe concernant un poste d'enseignement à la Sorbonne pour un an. Il ne s'agissait pas de tout mêler, mais de mener à bien la carrière de sa fille.

Depuis son réveil, Laurence n'en menait pas large. Elle avait beau réviser sa liste, aucun nom ne suscitait en elle le moindre intérêt. La plupart étaient d'ailleurs rayés et les autres semblaient mériter le même sort. En passant devant le miroir de son chiffonnier, sa liste à la main, elle se trouva lamentable.

– Ridicule! dit-elle en détachant chaque syllabe.

Dans un mouvement de rage, elle déchira la liste et la jeta à la corbeille. «Une liste de prétendants au mariage! Pourquoi pas une annonce dans les journaux, tant qu'à faire!» Elle s'étendit sur son lit et ferma les yeux, pour se calmer. Quand Charles Boyer se pencha sur elle, des frissons la parcoururent. Elle n'allait certes pas ouvrir les yeux, alors que la crainte et le désir s'entremêlaient et que la pointe de ses seins durcissait délicieusement. Elle était l'héroïne de *Hantise*, mais le film se déroulait autrement, car il la désirait trop pour vouloir la tuer. Sous le charme de son accent, de sa voix envoûtante, Laurence haletait.

– Maman?

Pauline entra dans la chambre aussitôt après avoir frappé.

– Êtes-vous malade? Vous êtes toute rouge!

– Je couve peut-être un mauvais rhume. Laisse-moi dormir un peu; je descendrai plus tard.

Sitôt la porte refermée, Laurence sauta hors du lit. Elle se sentait humiliée. Humiliée de n'avoir pas d'homme dans son lit pour lui donner du plaisir, ni dans sa vie pour la prendre sous sa protection. La rage reprit le dessus quand elle pensa à la part du Sélect qui lui avait échappé et elle dirigea une fois de plus sa colère vers Charles. Il était mort en la dépossédant, l'obligeant ainsi à tendre la main pour accepter la pension que lui versait mensuellement sa belle-mère. Elle se demanda si Antoinette ressentait la même humiliation en recevant la sienne.

«Plutôt mourir que de lui poser la question! Et plutôt me remarier que de continuer à remercier ma belle-mère en grimaçant! Quitte à entendre Irène se moquer, je vais lui montrer ma liste. Elle saura bien me suggérer d'autres noms!»

Laurence s'habilla pour se rendre chez Irène. Alors qu'elle se coiffait, une odeur lui revint à la mémoire. Elle ferma les yeux un moment et la fragrance musquée s'accompagna aussitôt de la haute stature d'Alfred Poulin. Le souvenir tout entier se recomposa, lié au parfum qui l'avait troublée. À l'enterrement de Charles, il était venu vers elle, l'avait chaleureusement serrée dans ses bras et lui avait dit : « Si jamais vous avez besoin de moi, n'hésitez pas.» Elle avait ressenti un grand bienfait, voire un certain émoi, puis avait tout oublié. «Alfred Poulin, se dit-elle en déposant sa brosse à cheveux. Comment ai-je pu oublier cette odeur ? Cette chaleur ? Comment ai-je pu oublier qu'il est veuf depuis près de six mois ?»

Laurence marcha de long en large, puis se rendit à la fenêtre qui donnait sur la rue. Le soleil étincelait et dessinait çà et là de grandes taches bleutées sur la neige. «Alfred Poulin qui, par pure générosité, est retourné seconder ma belle-mère à la mort de Gérard et n'attend plus que l'entrée de Laurent et Roger au sein des entreprises pour retourner à ses propres affaires».

Il sembla soudain à Laurence que le soleil n'avait jamais brillé avec autant d'intensité. Quand elle aperçut Irène sur le trottoir, sa première réaction fut d'aller l'accueillir en courant et de tout lui raconter. Pourtant, au moment même où elle lui ouvrait la porte, elle sut qu'elle allait garder le secret sur le projet le plus important de sa vie.

Les périodes d'abattement concernant Antoine duraient en général quelques jours et variaient en intensité d'une fois à l'autre. Comme elles n'étaient aucunement cycliques, elles prenaient son entourage par surprise, surtout lorsqu'il passait plusieurs mois sans en être affecté.

Étant donné sa formation d'infirmière, Marguerite redoutait ce genre de crises, craignant qu'il ne finisse par se laisser glisser pour de bon dans la dépression. Chaque fois qu'elles survenaient, elle consacrait tout son temps libre à Antoine, lui parlait et le forçait à sortir de sa léthargie. Il appréciait sa compagnie et ne désirait personne d'autre à ses côtés durant ces moments difficiles.

Depuis trois jours qu'il vivait replié sur lui-même, Marguerite venait chaque soir le rejoindre à l'atelier. Malgré l'épuisement d'une journée de travail, elle lui offrait toute l'énergie dont elle était capable. Ce soir-là, Antoine remarqua les cernes sous ses yeux et sortit de sa torpeur.

– Ma pauvre Marguerite! À force de me laisser ballotter, je finirai par te faire couler! À part ton travail et le temps que tu partages entre Simone et moi, qu'est-ce qu'il te reste?

– Tu m'as déjà entendue me plaindre?

– Tu le devrais! J'ai l'impression d'abuser de toi, de voler ton énergie jusqu'à l'épuisement. Si seulement je savais quoi faire pour me sortir de ces états de dépression!

– Si tu commençais par t'interdire d'y entrer?

Dans l'atelier, la truie en fonte rougeoyait et les flammes teintaient les murs de lueurs incandescentes qu'Antoine observait d'un œil distrait, préoccupé par la question de Marguerite.

– Comme si on pouvait choisir de son plein gré d'entrer ou non dans ce genre de folie!

– Et pourquoi pas? Si le mal qui nous habite est insupportable et qu'on préfère se réfugier dans le noir plutôt que d'affronter la vérité et la lumière crue du jour, pourquoi pas? Tu as le droit de faire ce choix, Antoine, mais reconnais au moins que c'est la solution que tu choisis et cesse de penser que ces états dépressifs te sont imposés!

Marguerite sortit de l'atelier, souhaitant qu'il médite seul sur sa dernière réflexion. Antoine voulut la suivre mais s'arrêta sur le pas de la porte, surpris par la beauté froide de la nuit. Il respira l'odeur de l'hiver, à peine perceptible mais à nulle autre pareille. Il respira encore et encore, s'enivra de cette odeur de froidure, puis referma la porte en frissonnant. Il ajouta une bûche à la truie et resta planté devant les flammes longtemps.

– Choisir de ne pas entrer dans la folie, pour ne pas avoir à en sortir, prononça-t-il tout haut.

Depuis la mort de son père, Laurent mettait le plus grand soin à trouver le cadeau d'anniversaire de Laurence, tout comme s'il le choisissait au nom de Charles. Il parcourait les allées des grands magasins, étage par étage, jusqu'à ce qu'il déniche le cadeau parfait.

Il avait mis longtemps à se remettre de ce deuil et y avait perdu un an d'étude. Il en restait profondément humilié, du fait que son cousin Roger, ayant sauté une année au niveau primaire, terminait à présent l'université en même temps que lui. Ils entreraient donc ensemble au service des entreprises familiales et seraient en compétition directe pour l'obtention éventuelle de la présidence.

Malgré la petite fortune dépensée pour le foulard de soie, il sortit de chez Morgan en se félicitant de sa trouvaille. Dès qu'il eut poussé les portes tournantes, le froid et l'humidité de la rue Sainte-Catherine l'atteignirent de plein fouet et rien, de ce fait, n'aurait dû le retenir sur place, pas même le joueur d'orgue de Barbarie tournant inlassablement la manivelle de son instrument, ni la drôlerie du singe qui l'accompagnait. Pourtant, il ne fit que deux pas avant de s'immobiliser : au milieu de quelques curieux, une jeune fille d'une rare beauté retenait son attention. De sa toque de fourrure s'échappaient des mèches de cheveux tout aussi noires que ses yeux, ce qui lui donnait un petit air espiègle qui charma Laurent.

Il s'en approcha et fit mine d'écouter les airs anciens qui s'échappaient de l'orgue de Barbarie. Vêtu à la manière d'un groom, le singe tendait une tasse ébréchée après chaque morceau et les curieux assemblés sous le porche du magasin y déposaient des pièces de cinq sous ou de dix sous qui tintaient sur les bords émaillés de la tasse. Laurent sortit un dollar de sa poche et le tendit au singe qui s'empressa de le humer, ce qui fit rire l'assistance et permit un rapprochement de la part de la jeune fille.

– L'odeur du papier n'a pas l'air de l'impressionner.

C'était dit avec malice, un sourire en coin.

– La prochaine fois, rappelez-moi que les singes préfèrent les espèces sonnantes.

– Parce qu'il y aura une prochaine fois?

– Évidemment! Il vaudrait d'ailleurs mieux en discuter devant un bon chocolat chaud chez Murray's.

Ils s'y rendirent à pied et patientèrent une dizaine de minutes avant d'obtenir une place, serrés l'un contre l'autre au milieu de clients qui, entre deux portes et en plein courant d'air, attendaient comme eux qu'une table se libère. Dans cet espace réduit où le froid pénétrait les os, entourés d'inconnus qui piaffaient d'impatience et se réchauffaient les pieds du même coup, Laurent et Clara gravaient déjà dans leur mémoire les premiers souvenirs d'un grand amour.

Le chocolat chaud leur brûla la langue et ils en rirent. La serveuse leur apporta des sandwichs plutôt que les gâteaux commandés, et leurs rires redoublèrent car ils les acceptèrent et les mangèrent en pensant à la mine déconfite de ceux qui les attendaient, le ventre creux.

Ils ne mirent pas longtemps à tout savoir l'un de l'autre. Clara avait vingt ans. Elle était née en Italie, mais, depuis la mort de ses parents, survenue alors qu'elle avait à peine cinq ans, elle vivait à Montréal, où le frère de son père s'était établi quarante-trois ans auparavant. À cause du nom de famille de Clara, de son manteau et de sa toque de fourrure, sans parler de son chemisier de soie et de ses bijoux d'or fin, Laurent déduisit que son oncle ne vivait pas dans la misère. Quand il demanda de quelle partie de l'Italie venait sa famille, elle répondit, avec un sourire désarmant :

– C'est au moment de la réponse à cette question qu'un jeune homme de bonne famille devrait se lever et me quitter, prétextant un rendez-vous important.

Laurent sut qu'il avait misé juste et rétorqua :

– Je me suis laissé dire que la Sicile est une île magnifique. C'est vrai?

Clara ne souriait plus et répondit cette fois très nerveusement.

– Le nom de mon oncle est de notoriété publique et il en allait de même pour celui de mon père. Bien malgré elle, ma mère l'a accompagné jusqu'à la fin. Ce jour-là, ils revenaient d'une longue promenade, main dans la main, avec le soleil dans les yeux. Je me souviens de ce détail, parce que ma mère a mis sa main libre devant ses yeux pour s'en protéger et elle a crié : «Clara!» Je me suis élancée vers eux et, au même moment, une voiture est arrivée. Il y a eu des coups de feu et ils sont tombés. J'ai couru, couru! Ma grand-mère criait derrière moi mais je ne voulais pas m'arrêter. Quand je me suis allongée sur ma mère, elle était toute chaude. Elle avait encore le soleil dans les yeux. Alors, je les ai fermés.

Clara se leva aux derniers mots de son histoire. Elle prit son manteau sur le dossier de la chaise, mais Laurent le lui enleva en douceur et l'aida à l'enfiler. Il se pencha ensuite à son oreille et murmura :

— Je n'ai pas de rendez-vous important.

Ils sortirent de chez Murray's alors que la neige tombait sur la ville en atténuant le rouge et le bleu des néons. Laurent prit la main de Clara et ils marchèrent longtemps, heureux de cette neige qui adoucissait les couleurs et le temps, le cœur et la bouche en attente du premier baiser.

Marcel préférait la bibliothèque à toutes les pièces de la maison et s'y installait le soir pour étudier. Des armoires d'acajou, dont les vitres s'encastraient sur des montants de fer forgé imitant l'argent, garnissaient trois pans de mur, et chaque rayon révélait l'étendue des connaissances de Gérard. Marcel croyait que la pièce renfermait l'essence même de son père et, qu'à force de baigner dans cette atmosphère, il parviendrait à pénétrer son insaisissable personnalité.

Il avait aimé son père avec un mélange de respect et d'admiration. Il se promettait d'ailleurs une visite sur sa tombe, le jour où on l'accepterait au barreau, pour le remercier de ce qu'il lui avait inculqué : le refus des servitudes de la vie et l'amour de la liberté. Il l'avait aimé malgré une incompréhension totale, car, alors que lui-même recevait en partage la notion de liberté, son frère Roger se voyait transmettre la propre rigidité de son père, le culte de l'honneur et du devoir accompli.

Marcel abandonna son fauteuil et ses réflexions, et parcourut les rayons de la bibliothèque en effleurant certains ouvrages au passage. Devant les travaux de Spinoza, il retira machinalement le *Traité politique*. Un écrin de velours se trouvait derrière le livre. Il le prit tout en se demandant comment il pouvait se trouver là, l'ouvrit et découvrit à l'intérieur un collier de perles. Il sortit le collier, admira l'éclat du nacre, et, juste comme il s'apprêtait à le remettre en place, il aperçut un bout de papier. En relevant le coussin de satin, il trouva un billet au fond de l'écrin. Il le déplia avec soin et lut : «Dans un écrin de velours, un collier de perles retient les larmes d'un amour perdu. Et tandis que l'amante pleure encore, l'amant referme à jamais son cœur et l'écrin.»

Marcel replaça vivement l'écrin et remit le Spinoza en place. «Ainsi, pensa-t-il, mon père a eu une liaison qui s'est mal terminée, d'où cet air langoureux qu'il traînait et le précieux conseil de refuser les servitudes de la vie.» Il se promit de mener sa petite enquête pour en savoir plus long sur la vie secrète de son père, confiant de saisir enfin sa mystérieuse personnalité. Au moment de sortir, il se ravisa, revint sur ses pas et s'empara de l'écrin.

– C'est à cause de moi que tu n'as pas d'amoureux ?

La question surprit Marguerite mais non la manière directe de la poser, parce que Simone ne savait pas user d'artifices.

– Quelle drôle de question !

– Si ma question était drôle, tu rirais. J'ai peur, Marguerite, que tu te sacrifies pour moi.

– Mais où vas-tu chercher des histoires pareilles ?

– C'est Lucienne qui me l'a fait remarquer. Elle dit que c'est pas normal qu'un belle grande fille de vingt-trois ans se trouve pas d'amoureux. Avec elle, c'est toujours pareil!

– Qu'est-ce qui est pareil?

– Sa façon de lancer des idées, l'air de rien. Des idées qui me forcent à réfléchir. J'ai été égoïste, Marguerite. J'étais trop heureuse de t'avoir toute à moi et j'ai oublié que tu avais ta propre vie à vivre.

La chambre sentait le jasmin. Préférant cette odeur à toutes les autres, Simone avait toujours un flacon en réserve et en aspergeait légèrement la pièce. Depuis que Marguerite associait ce parfum à sa mère, elle l'avait également adopté. À plat ventre sur le lit, elle se demanda ce que serait sa vie sans la présence constante de Simone et ressentit un tel vertige qu'elle vint s'asseoir à ses pieds. La main de sa mère se posa sur ses cheveux au moment même où elle inclina la tête. Ni l'une ni l'autre ne se lassait de ce geste que Simone, à la suite d'Adélaïde, répétait sans cesse. C'était le baume qui enrayait la souffrance et cicatrisait les plaies.

– Tu veux savoir pourquoi je n'ai pas d'amoureux?

– C'est parce que tu refuses toutes les invitations.

– Si je les refuse, c'est parce que ta présence m'a trop manqué et que maintenant elle me suffit!

Il y avait longtemps qu'elles ne pleuraient plus, ou alors si peu qu'elles en riaient aussitôt. Ce soir-là, elles versèrent bien quelques larmes, mais le rire ne leur succéda pas, car la pensée de se perdre de nouveau leur était intolérable. Comme il leur arrivait parfois, quand les émotions entre elles devenaient trop fortes, elles se couchèrent ensemble. Marguerite s'endormit dans les bras de Simone qui, au creux du lit d'Adélaïde, répétait en berçant sa fille: «Merci, mémère, merci. Même si ça fait mal pour mourir, d'aimer comme ça, merci!»

La vie n'avait pas gâté Antoinette, et son caractère morose l'avait empêchée de trouver en elle les ressources nécessaires à son épanouissement. Comme la mort de Gérard l'avait forcée à se serrer la ceinture et à abandonner toute aide ménagère, elle avait pris l'habitude de s'abrutir au travail, se couchant épuisée et se relevant sans énergie.

Alors que tout semblait immuable et qu'elle se résignait, sa fille Raymonde lui proposa de rester auprès d'elle et de l'aider à plein temps. Après mûre réflexion, Antoinette se rendit à l'évidence que les bulletins mensuels de sa fille reflétaient une absence totale d'ambition et elle accepta son aide avec soulagement.

Cette présence constante la réconforta et, sortant peu à peu de son isolement, elle trouva un certain plaisir à cuisiner de nouveaux plats, se remit à la couture, et s'intéressa de plus près aux études et aux loisirs de ses enfants. D'une activité à l'autre, elle ambitionna finalement de donner une grande fête en l'honneur de Roger, qui terminait ses études. Elle s'y prit longtemps d'avance car son projet, dont seule Raymonde était au courant, demandait une grande préparation. Le soir, alors qu'elles se retrouvaient seules à la cuisine, elles s'amusaient à refaire cent fois le menu ou à ajouter quelques noms à la liste des invités, tout en confectionnant des décorations en vue de la fête. Cette semaine-là, elles achevaient de magnifiques guirlandes et Antoinette se surprit à penser que la vie était belle.

— Avec ces guirlandes blanches et bleues, mon idée est faite! s'exclama-t-elle avec enthousiasme. Du bleu et du blanc, uniquement! Pour toutes les décorations!

— Pas même un peu de rouge?

— Y penses-tu, ma fille? Pour que tes tantes se moquent de mon mauvais goût? Attends de voir le résultat final! Du tulle blanc, posé en banderoles sur les branches, qui devrait s'agiter mollement dans la brise du soir et créer un effet magique!

– Et si la température est mauvaise ?

– Il fera beau ! J'ai consulté l'*Almanach du peuple* et il semble que le mois de juin sera parfait ! Et puis attends, c'est pas tout ! Il y aura des lanternes chinoises, et nous piquerons des centaines de roses artificielles dans les bosquets, des miniatures, et il y aura des ballons bleus et blancs et des chandelles sous globe, sans parler du kiosque qu'on croira sorti d'un conte de fées !

– C'est la première fois que je vous vois aussi excitée ! Tante Laurence et tante Irène vont devenir vertes de jalousie en voyant vos belles décorations.

– J'espère bien !

Antoinette jubilait et pensait que, pour une fois, ses belles-sœurs verraient de quoi elle était capable et qu'elles s'en voudraient de n'avoir pas créé elles-mêmes un décor aussi féérique.

– Comme une idée en entraîne une autre, dit-elle au bout d'un moment, j'ai pensé que nous pourrions faire nos propres cartons d'invitation. Si je me souviens bien, ta grand-mère a de grandes feuilles de papier rigide. Je lui en demanderai quelques-unes ; ce sera toujours ça d'économisé !

– Vous devriez y aller tout de suite ! Comme ça, nous pourrons nous y mettre dès demain matin.

Antoinette traversa donc chez sa belle-mère, heureuse comme elle ne l'avait pas été depuis longtemps. Elle lui fit part de son projet, avec une assurance qu'elle ne se connaissait pas. Elle allait lui parler des grandes feuilles de papier rigide, mais Florence ne lui en laissa pas le temps.

– Ma pauvre Antoinette ! Avez-vous idée du prix d'une telle fête ?

– J'ai tout prévu, madame Grand-Maison. Ça fait des mois que j'y pense et que j'économise en vue des dépenses. Vous n'avez pas à vous inquiéter, j'y arriverai très bien !

– Je veux bien payer une pension mensuelle et voir aux études des enfants, Antoinette, mais vous ne pensez pas que cet argent pourrait servir à l'habillement des plus jeunes ? Septembre est encore loin mais l'argent sera déjà épargné ! Le retour en classe occasionne tellement de dépenses imprévues. Sans parler des lunettes du petit Gaétan ni des soins dentaires de toute la famille ! Croyez-moi, vous pouvez dépenser cet argent plus judicieusement. Pour ce qui est de la fête, vous savez bien que je ne vais pas passer la fin des études de Laurent et Roger sous silence ! J'offrirai un grand souper au Sélect en leur honneur !

– J'aurais tellement aimé…

La voix d'Antoinette s'étouffa avant qu'elle ne termine sa phrase.

– Les femmes ont parfois le cœur plus grand que la bourse, Antoinette.

«Tandis que certaines ont la bourse plus grande que le cœur», pensa Antoinette en refoulant sa rage. Tout en se dirigeant vers la sortie, elle hochait la tête comme si elle acquiesçait aux dernières paroles de sa belle-mère et se mordait les lèvres pour s'empêcher de crier. Dans un effort suprême, elle releva fièrement la tête, se retourna vers Florence et dit, la main sur la poignée de la porte :

– Vous avez bien raison, madame Grand-Maison. Les femmes qui n'ont pas de bourse ne peuvent pas se payer le luxe de la fierté. Alors, une fois de plus, un grand merci pour votre générosité.

Trop intelligente pour ignorer le sarcasme sous les remerciements, Florence voulut riposter, mais Antoinette était déjà sortie et descendait l'escalier à toute allure. Une fois chez elle, elle se dirigea vers le kiosque à grandes enjambées. Elle se mordait encore les lèvres quand elle réalisa que la rage l'emportait et qu'aucune larme ne sortirait de son corps.

Tout en bas, la rivière se déchaînait en sortant de son carcan et accentuait la tourmente d'Antoinette. Pour la première fois de sa vie, elle se révolta corps et âme contre l'impuissance qui la maintenait dans un tel état d'infériorité. Elle sentit monter en elle une colère si forte qu'elle en fut d'abord effrayée. Puis, comme si chaque parcelle de son corps vibrait d'une énergie nouvelle, elle comprit que la rage la soutiendrait mille fois mieux que la résignation et laissa libre cours à son ressentiment.

— Du mépris ! Toute une vie de mépris ! Dans le regard de mon père qui souhaitait un fils ! Dans celui de ma mère qui retrouve en moi sa propre faiblesse ! Dans les chuchotements et les rires de mes belles-sœurs, les précieuses ridicules ! Et, pire que tout, dans le regard de Gérard...

Le fracas des glaces couvrit sa voix quand elle cria :

— Si seulement vous aviez eu la moindre estime pour moi, Florence Grand-Maison la toute-puissante, votre fils m'aurait peut-être aimée ! Un de ces jours, vous me le paierez !

Irène détestait le dimanche, un jour au caractère passif où les activités normales semblaient suspendues. C'était le jour du Seigneur, celui pour lequel Philippe s'interdisait toute transgression, et c'était également jour de congé pour Élisabeth, qui abandonnait son piano pour s'accorder un peu de divertissement. Par-dessus tout, Irène en haïssait les après-midi, qu'elle s'efforçait de passer auprès de Léopold, tandis qu'il abusait de l'alcool.

Tout en feuilletant un magazine, elle l'observait depuis un bon moment et tentait d'évaluer le temps qu'il mettrait à se relever pour emplir son verre vide. Au moment où il tenta de s'extirper de son fauteuil, elle lui lança :

— Ne bouge pas ! Je vais te servir !

D'abord hébété, Léopold se réinstalla confortablement et attendit son retour.

— Tiens ! Pourquoi te donner tant de mal ? dit-elle en déposant la bouteille entre ses mains. Bois à même le goulot ! Ce sera plus rapide et moins fatigant !

Comme si rien ne s'était passé, elle retourna s'asseoir et feignit de se replonger dans la lecture de son magazine.

– Tu te souviens de la femme de l'Évangile? Celle qu'on voulait lapider?

Pour mieux cacher son malaise, Irène releva la tête et défia Léopold du regard tandis qu'il poursuivait :

– «Que celui qui est sans péché lui lance la première pierre», a dit Jésus.

Irène se sentit soulagée. La référence à la femme adultère lui avait fait craindre le pire. Apparemment, Léopold ne voulait pas être jugé, rien de plus.

– De quoi parles-tu, Léopold?

– De la bouteille entre mes mains, comme une pierre que tu m'aurais lancée. Je bois trop, c'est un fait! Pourtant, du temps de Jésus, on ne lapidait pas pour si peu!

Léopold se versa à boire et avala une gorgée avant de continuer sur sa lancée.

– Tandis qu'une pierre ne pesait pas lourd dans la main d'un homme quand une femme osait tromper son mari!

– C'est l'alcool qui rend ton discours si confus ou c'est moi qui suis complètement bouchée?

– À ta place, Irène, je me ferais douce et silencieuse. J'éviterais ainsi de marcher en terrain miné.

Léopold termina son verre et le remplit aussitôt. Irène retenait à présent sa respiration.

– Par-dessus tout, j'apprécierais ma situation de femme mariée à un homme d'affaires respectable et riche, ce qui n'est pas dépourvu d'intérêt, et j'accepterais la chance qui m'est offerte d'échapper à la lapidation.

Clouée à son fauteuil, Irène avait peine à croire ce qu'elle entendait. Depuis combien de temps savait-il? se demandait-elle, et de quoi au juste la menaçait-il ? «Méfiez-vous des eaux dormantes», disait sa grand-mère. Elle en comprenait à présent le sens exact.

– De nos jours, évidemment, la lapidation n'a plus cours. Elle se traduit plutôt par la séparation, voire même le divorce ! D'accord, il faut se déplacer, se rendre à Ottawa, mais, selon mon avocat, le divorce laisse parfois une femme tellement démunie qu'il la blesse tout autant que la lapidation.

Irène déposa son magazine et se leva. Avant qu'elle franchisse le seuil du salon, Léopold lança :

– Dimanche prochain, nous parlerons d'avenir. Le tien ! Celui que je tiens entre mes mains, selon ta décision de mettre un point final ou non à une situation… comment dire ?… une situation trop collée sur la religion, peut-être ?

Irène se retira dans son petit salon russe. Durant une heure, elle fixa sans la voir l'icône de la Vierge de tendresse, puis, encore trop ébranlée pour réfléchir convenablement, elle décida de trouver refuge auprès de Tatiana.

C'était le dix-neuvième jour du mois de mai, un dimanche, l'air embaumait le lilas et les fleurs de pommiers, et Marie-Renée marchait avec grâce dans ce printemps aux odeurs suaves. Sous le saule pleureur, Roger l'attendait. Il l'aperçut de loin et regretta aussitôt d'avoir accepté son rendez-vous. Elle était trop belle et il avait trop mal pour que la vie ne soit pas un enfer. Elle lui parlerait d'amour, il retiendrait le sien, ils se quitteraient plus malheureux que jamais, et, avant que la vie reprenne son cours, chaque heure, chaque minute et chaque seconde lui serait insupportable.

– Bonjour, mon cousin !

Le ton était rieur et le surprit, mais il ne pouvait pas se détendre ni détacher ses yeux d'elle. Le teint rosé sous l'éclat des fleurs de pommier piquées dans ses cheveux, Marie-Renée souriait et soutenait le regard de Roger.

– Pourquoi ce rendez-vous?

– Pour t'offrir ces boutons de manchettes et te dire que, maintenant, je suis prête à accepter le collier de perles. De cette façon, nous aurons chacun un lien secret. Un lien qui nous unira l'un à l'autre.

À l'instar d'un grand vent balayant le brouillard, les boutons de manchettes chassèrent momentanément la douleur de Roger. Au creux de sa main, ils pesaient le poids de l'amour et il espéra que ce lien le sauve du désespoir. Il retira ceux qu'il portait déjà, les lança à la rivière sans hésitation, puis tendit à Marie-Renée ceux qu'elle venait de lui offrir.

– Tu veux bien?

Elle mit les boutons à ses manchettes et le regarda ensuite droit dans les yeux.

– Le rendez-vous, c'est aussi pour te dire que je comprends ta peur de mettre au monde des enfants infirmes. Ce que je ne comprends pas, c'est la responsabilité dont tu te charges pour perpétuer le nom des Grand-Maison. Tu as deux frères, j'en ai trois. À eux cinq, ils auront des fils et le nom ne s'éteindra pas! Je ne comprends pas ton entêtement, mais je l'accepte. Ce que je n'accepte pas, c'est l'emprise que ton père continue d'exercer sur toi avec sa maudite horloge!

Appuyé au saule, le regard lointain, Roger savait qu'il valait mieux se taire. Ce que Marie-Renée nommait emprise, pensait-il, se traduisait plutôt par le sens du devoir, inculqué depuis l'enfance, et il était au-dessus de ses forces de lui en expliquer l'importance. Il pensait également qu'un homme capable de trahir la confiance de son père n'était pas un homme digne et que seul un autre homme pouvait comprendre le sens du devoir tel qu'il l'entendait.

– Si je ne t'ai pas adressé la parole durant les quatre dernières années, poursuivit Marie-Renée, c'est que j'avais peur de te supplier. Te supplier de m'aimer malgré tout! Comme je savais que rien ne te ferait changer d'idée, j'ai finalement trouvé le moyen de ne jamais en arriver là.

Elle fit quelques pas pour s'éloigner de lui et fixa la rivière. Roger comprit qu'il n'allait pas aimer ce qui suivrait et força son corps et son esprit à la rigidité. Sa voix ne tremblait pas quand il demanda :

– Et ce moyen?

– Jure d'abord que tu me donneras le collier et que tu garderas les boutons de manchettes!

– Je le jure!

– Je me marie au début de septembre.

Roger eut l'impression qu'une masse lui tombait sur la tête. Pourtant, pas un muscle de son corps ne le trahit. Il voulut parler, mais fit d'abord quelques pas pour retrouver son aplomb. Quand il se retourna, Marie-Renée courait vers la sortie du parc. «Il va me rattraper, se disait-elle, le souffle court. Il ne pourra pas supporter que j'appartienne à un autre, c'est certain! Cours! Cours! Ne te retourne pas! Il est juste derrière toi!»

Figé sur place, Roger suivit sa cousine des yeux. Peu à peu, sa silhouette s'estompa, puis disparut en lui ravissant l'odeur des fleurs de pommier et le printemps tout entier.

Pauline avait téléphoné à Marguerite en suggérant qu'elles passent chez Colette. «Elle a sa petite voix, celle des mauvais jours», avait-elle dit, et Marguerite avait compris que Colette comptait sur elles une fois de plus. Avec le temps, elles avaient pris l'habitude d'aller lui remonter le moral, de l'aider à remettre la maison en ordre ou de lui accorder quelques heures de liberté en gardant la petite Chantal. Elles l'avaient toujours fait sans la moindre critique, mais, ce soir-là, en entrant chez Colette, les épaules de Marguerite s'affaissèrent et Pauline ne put réprimer sa colère.

– C'est pas vrai ! C'est pire que la dernière fois !

Colette fondit en larmes et se réfugia dans sa chambre.

– C'est ça ! Va te cacher ! Pendant ce temps-là, nous deux, on va encore nettoyer ta soue à cochons !

– Pauline ! Tu penses pas qu'elle a assez honte comme ça ?

– Honte ? Colette connaît même pas ce mot-là !

– Est-ce que j'ai demandé votre aide ? cria Colette en ressortant de sa chambre aussitôt. J'ai besoin de personne ! Fichez-moi le camp ! Laissez-moi toute seule !

Habituellement la plus tempérée des trois, Marguerite éclata.

– Trop, c'est trop ! Maintenant qu'on est là, aide-nous au lieu de pleurer ! Et si on doit encore se faire suer avec ton ménage, on va le faire dans la bonne humeur ! Compris ?

Pauline pouffa de rire la première et les deux autres suivirent. Elles rirent à s'en tenir les côtes, jusqu'à ce que Colette recommence à pleurer.

– Pauline a raison, Colette. Tout est à la traîne, ici, et tu passes ton temps à pleurer sur ton sort.

– Et laisse-moi te dire que tu as une façon bien spéciale de ne rien demander, renchérit Pauline. Ça marche tellement bien qu'on se laisse prendre à chaque fois !

– Je voudrais bien vous voir à ma place !

– Toujours toute seule ! reprit Marguerite sur un ton ironique, toujours déçue ! Ta litanie, on commence à la connaître ! Mais qui d'autre que toi l'a voulue, cette place-là ?

– Quand tout le monde t'avait prévenue ! Pensais-tu vraiment que le mariage allait transformer son caractère ? C'est un frustré qui parle uniquement pour te déprécier ! Le reste du temps, il n'ouvre pas la bouche parce qu'il n'a rien à dire !

– Et ses voyages d'affaires ? Es-tu aveugle ou tu fais semblant de ne rien voir ?

– Oui, je fais semblant! Oui, je pensais que mon amour le rendrait heureux! Oui, j'espère encore, parce que je suis encore enceinte!

Pauline et Marguerite mirent quelques secondes à réagir, puis s'approchèrent de Colette, l'une prenant sa main, l'autre caressant ses cheveux. Elles la firent asseoir et la cajolèrent un bon moment avant de remettre l'appartement en ordre. Elles auraient tout donné pour effacer ce qu'elles avaient dit auparavant, mais se rachetèrent en lavant et frottant jusque dans les moindres recoins.

– Malgré ce que tu en penses, Pauline, je ne suis pas fière de moi. Seulement, la vie avec André est d'un tel ennui et me rend si malheureuse que plus rien ne m'intéresse, le ménage encore moins que tout le reste!

– Oublie ce que j'ai dit. Tu sais bien que je m'emporte facilement.

– Non! Vous avez raison, toutes les deux. J'ai fait mon propre malheur et c'est à moi d'en subir les conséquences, pas à vous!

– Je viendrai t'aider plus souvent, déclara Pauline. De ton côté, tu essaieras de me changer les idées.

Colette et Marguerite sourcillèrent, se demandant ce qui arrivait à Pauline. La tête haute, les lèvres pincées, elle ressemblait à Florence, constatait subitement Marguerite tandis que Colette posait ses mains sur les épaules de sa cousine.

– Qu'est-ce qui se passe, Pauline?

– Rien! Trois fois rien! Juste une peine d'amour stupide! La première et la dernière de ma vie!

Pauline se mit à marcher de long en large, le corps tendu, prête à éclater. Colette et Marguerite la regardaient, impuissantes, n'osant plus l'approcher.

– Est-ce qu'on se met dans un état pareil pour une peine d'amour de trois fois rien? demanda finalement Marguerite.

– Trois fois rien parce que c'est un amour impossible ! Il est marié et amoureux de sa femme ! Je me suis ridiculisée !

Colette et Marguerite fixaient leur cousine, sidérées.

– C'est toi qui as fait les premiers pas ? demanda Marguerite.

– Oui ! Parce que je n'en pouvais plus de l'aimer depuis si longtemps en silence ! Je lui ai dit que je l'aimais et j'ai même dit que je l'aimerais toujours ! Et il a ri ! «Ma pauvre enfant, je pourrais être votre père !» qu'il m'a dit. Je ne veux plus retourner à l'université !

– C'est un de tes professeurs ? demanda Colette.

– C'est le recteur ! J'ai trop honte ! Et je l'aime trop !

Quand elles se quittèrent, ce soir-là, Marguerite regretta plus que jamais de ne pas pouvoir leur raconter son bonheur avec Simone. Elle se dit que, des trois, son sort était le plus enviable et elle se promit de ne jamais tomber amoureuse.

Le soir où le Sélect accueillit Laurent et Roger pour fêter la fin de leurs études, trois membres de la famille Grand-Maison furent frappés de stupeur tour à tour quand Marie-Renée fit son entrée à la salle à manger, alors que le repas était déjà commencé.

Florence, la première, vit le collier de perles au cou de Marie-Renée. À ce moment précis, elle portait une bouchée de feuilleté à sa bouche. Elle ne put savourer le goût fin des escargots en sauce ni celui de la pâte délicate qui les enrobait, car elle déposa sa fourchette et fut incapable de toucher par la suite à son entrée. Qu'avait-elle dit à Roger en lui remettant le collier ? se demandait-elle. N'avait-elle pas parlé de la femme de sa vie ? Des images s'imposèrent. D'abord floues, puis de plus en plus nettes. L'une de ces images se distinguait des autres : les yeux de Roger posés sur Marie-Renée au fil des ans et ceux de Marie-Renée posés sur Roger. S'étaient-ils donc toujours aimés ? Florence était bouleversée. Pourquoi ce beau jeune homme accompagnait-il

Marie-Renée, alors? Et pourquoi cette dernière affichait-elle, en même temps que le collier, une telle attitude de défi? Roger avait-il renoncé à son amour pour elle? Certes, ce genre d'union n'était pas facilement accepté, mais il arrivait qu'il se produise et l'Église, en accordant une dispense, aplanissait généralement les dernières résistances. Florence s'y perdait. «Mon Dieu, faut-il endosser les souffrances de nos descendants, d'une génération à l'autre? Ne pourriez-vous pas m'en épargner quelques-unes?» Sa supplique faite, elle décida que toutes les questions se rapportant au collier, et par le fait même à Roger et Marie-Renée, resteraient sans réponse, car elle n'en poserait aucune.

Pour sa part, Marcel aperçut le collier au moment où sa cousine prit place à ses côtés. Elle lui présenta son fiancé et, avec son humour particulier, il eut une folle envie de suggérer qu'elle lui présente également le collier, qu'il croyait reconnaître. Celui qu'il s'était donné tant de mal à cacher au fond d'une boîte emplie des billes multicolores de son enfance, elle-même enfouie sous une pile de vieux albums de bandes dessinées, tout au fond de la dernière tablette de sa penderie. Pour trouver l'écrin, il fallait se donner autant de mal qu'il en avait mis à le cacher, et seule la personne cherchant expressément le collier pouvait y arriver. Comme il ignorait jusque-là sa disparition, il se demanda s'il ne s'agissait pas d'un bijou similaire. Il jeta alors discrètement un coup d'œil au fermoir argenté et aucun doute ne subsista. L'histoire d'amour qu'il avait attribuée à son père tombait à l'eau. Il en perdit sa verve habituelle et observa sa cousine à la dérobée. Quand elle porta les perles à sa bouche et que son regard se posa sur Roger, il comprit. Tout comme cela s'était produit pour Florence, Marcel revit des images d'enfance qui tout à coup prenaient leur vraie signification et expliquaient pourquoi son frère n'avait jamais eu de petite amie. Même s'il ne comprenait rien à leur histoire, et malgré sa curiosité extrême, il se jura, par respect pour son frère, de ne jamais aborder la question du collier.

Roger mit plus de temps que les autres à voir le collier, car, à l'arrivée de Marie-Renée, c'est l'officier marchant à ses côtés qui retint son attention. Impossible de nier l'évidence! Il était beau et très élégant dans son uniforme, dont la couleur indiquait son appartenance à l'armée de l'air. Un pilote? se demanda Roger. Son feuilleté en perdit toute saveur. Quand il osa enfin poser les yeux sur sa cousine, il la trouva si belle qu'il en eut le souffle coupé. Quand il risqua un deuxième regard, leurs yeux se croisèrent et Marie-Renée, au même moment, porta les perles à sa bouche. Il n'aurait su dire s'il rougissait ou s'il perdait toute couleur, mais il ressentit une telle honte qu'il souhaita mourir sur-le-champ. Déjà sa grand-mère et son frère avaient dû percer son secret. Ils poseraient des tas de questions indiscrètes, auxquelles il ne voudrait d'ailleurs pas répondre, et la honte le poursuivrait jusqu'à sa mort. Il pensa alors que ce souper garderait dans sa mémoire un goût amer, mais les yeux de Marie-Renée se posèrent sur son poignet et il comprit qu'ils cherchaient les boutons de manchettes. Négligemment, il étira le bras et lui laissa entrevoir l'œil-de-tigre enchâssé. Elle sourit et porta de nouveau les perles à sa bouche. Alors, la vie revint en lui et la honte disparut. Seul existait ce courant qui passait, seul comptait ce lien qui les unissait.

Dans l'atelier de couture, Laurence et Irène faufilaient de la guipure.

— Elle sera splendide!

— La robe ou la mariée?

— L'une dans l'autre!

Elles consacraient plusieurs heures par jour à terminer la robe de Marie-Renée et cet emploi du temps convenait à Irène, qui tenait à meubler chaque moment de la journée avec acharnement.

— Léopold refuse que j'accompagne Élisabeth en France, finit-elle par avouer à Laurence, même en sachant que ma rupture avec Philippe est définitive.

— Le projet ne va pas tomber à l'eau?

– Je ne peux pas la laisser partir seule! Elle ne connaît rien de la vie!

Les manches bordées de guipure, la robe se transformait sous leurs yeux. Elles s'attaquaient au col quand Laurence demanda :

– Crois-tu que ta mère accepterait de payer des études prolongées à Pauline?

– Tu sais bien que oui!

– Des études à la Sorbonne, j'entends!

– Laurence! Quelle bonne idée! Elles pourraient partager un petit appartement et Pauline veillerait sur Élisabeth!

– Le seul problème, c'est que l'idée vient de moi et non de Pauline. Pourtant, elle est si malheureuse qu'un changement radical pourrait peut-être lui sourire. Surtout si l'idée venait de toi!

– Bon! Laisse-moi quelques jours pour trouver une façon de l'approcher et souhaite-moi bonne chance! Je peux l'aborder par le biais de son chagrin d'amour ou pas?

– Surtout pas! Fermée comme elle l'est, tu risquerais de la voir rentrer dans sa coquille pour de bon! Peux-tu croire que je n'ose même pas lui parler d'Alfred, tellement elle est triste? Tu me vois lui raconter mon bonheur, quand elle a constamment les yeux qui roulent dans l'eau? Et puis, avec le mariage de Marie-Renée et de son bel officier dans quelques semaines, celui de Laurent et de Clara en décembre, je me vois mal lui annoncer le mien en plus!

Irène se piqua le doigt et retira vivement sa main, pour ne pas tacher le satin blanc.

– Lui annoncer quoi?

– Tu as bien entendu! Mon mariage! Pour l'an prochain!

– Tu l'aimes donc à ce point?

– Tu ne te moqueras pas si je t'avoue que je l'aime avec un cœur de jeune fille?

— Me moquer? Je suis si heureuse de ce qui t'arrive!

— Tu vois, je me sens coupable face à toi, face à Pauline. Comme si mon bonheur était indécent en raison du malheur qui vous habite. Je me sens coupable et j'ai peur de vous blesser.

— Pauline est jeune, elle s'en remettra! Moi, plus rien ne peut me blesser, parce que je n'attends plus rien de la vie. Maintenant que je te sais heureuse, je peux t'avouer ce que j'ai retenu jusqu'ici. Tu es en mesure de l'entendre et ça me soulagera d'en parler.

Laurence comprit alors que la tristesse d'Irène cachait une misère plus profonde et que ses révélations allaient l'ébranler.

— Quand je t'ai parlé de l'ultimatum de Léopold, tu as sans doute cru que j'avais rompu avec Philippe par obligation, parce que je n'avais pas le choix. Je l'avais pourtant.

«Le bonheur a un prix», pensa Laurence qui aurait préféré ne pas entendre la suite.

— J'avais choisi Philippe. Oui, je l'avais choisi envers et contre tous. Je l'avais choisi au risque de me retrouver sans le sou, au risque de perdre l'amour de ma fille, de ma famille, sans parler de ton amitié. Je l'avais choisi avec une passion que je croyais perdue, entièrement ouverte à une nouvelle vie.

Irène fit une pause. Laurence lissait de la main le satin de la robe en pensant que certaines vérités n'étaient pas bonnes à dire, trop crues pour être entendues.

— Je lui ai donné rendez-vous à notre lieu de rencontre habituel et je lui ai annoncé que je pouvais le suivre en France, où on lui avait offert un poste. Il était si heureux! Quand il a demandé pour combien de temps, j'ai répondu que c'était pour toujours. Je me sentais libre! Alors, il s'est levé et il m'a dit : «Si tu pensais changer les règles du jeu, alors que j'ai toujours été clair au sujet de notre relation, tu t'es trompée! Toi et moi, c'est du temps partiel et secret! Et je ne changerai jamais d'idée là-dessus!» C'est à partir de ce moment-là que je n'ai pas eu le choix. Je suis donc partie.

– Sans rien dire?

– Il n'y avait plus rien à dire.

∽⚬⚭

– Quelques mois encore, madame Grand-Maison, et vos petits-fils pourront se passer de mes services.

– Monsieur Poulin! Qu'est-ce que j'aurais fait sans vous?

– Pour ma part, je me suis souvent demandé ce que je serais devenu sans l'aide de votre mari. Je lui dois tant!

– Maintenant, c'est moi qui vous suis redevable. Si jamais je peux vous être de quelque utilité, n'hésitez pas!

Alfred Poulin se dit qu'une ouverture aussi facile ne se représenterait pas de sitôt et il n'hésita pas.

– Alors, j'aurais bien une proposition à vous soumettre. Je peux vous en parler maintenant?

– J'ai tout mon temps.

– Votre part du Sélect m'intéresse. Je dirais même qu'elle m'intéresse grandement.

– Je me suis laissé dire que vous fréquentiez ma belle-fille, Laurence Grand-Maison. C'est vrai?

– J'ai même demandé sa main et vous êtes la première à l'apprendre.

– Et vous comptiez mettre cette part du Sélect dans la corbeille de la mariée?

– C'est une façon de voir les choses.

– Ce serait vous rendre un très mauvais service, alors. Laurence y tient avec un entêtement qui m'étonne. Peut-être auriez-vous avantage à vérifier la sincérité de ses sentiments avant d'emplir la corbeille?

Alfred Poulin n'était pas du genre à rester figé sur place ni à garder sa langue dans sa poche bien longtemps, surtout si on l'insultait.

– Vous avez une bien piètre opinion de moi, madame. Me croyez-vous aussi naïf? Aussi peu sûr de moi? Avec ou sans votre part du Sélect dans la corbeille, Laurence m'épousera! Et elle m'épousera par amour, ce qui lui a bien manqué, semble-t-il, durant son premier mariage.

L'automne se retirait à grands coups de vent, dépouillant les arbres jusqu'à leur ultime couleur, pour qu'enfin l'écorce nue et grisâtre reprenne ses droits hivernaux. Couverte d'aiguilles de pin, de feuilles rougies sous le gel des nuits, la terre s'alanguissait. Des tourbillonnements rapides soulevaient çà et là les dernières feuilles tombées, les entraînaient dans une ronde folle, puis les rejetaient brusquement.

Avant que surviennent les pluies de novembre, Marguerite voulut profiter du vent et renifler une fois encore l'odeur de roussi qui flottait dans l'air. Elle s'habilla chaudement et descendit à la rivière. De son atelier, Antoine la vit passer et décida de la rejoindre. Il parla de la pluie et du beau temps, puis comprit qu'il ne l'avait pas suivie pour si peu.

– Tu te souviens de notre dernière conversation sérieuse?

– Je m'en souviens, parce que tu n'as pas eu de crise importante depuis.

– Ce soir-là, tu m'as donné une clé. Je sais maintenant que je dois m'interdire certaines portes et que je devrais par contre en ouvrir d'autres. Le problème, c'est que je n'arrive pas à trouver la serrure des portes à ouvrir.

– Et si je te donnais une paire de lunettes?

– Tu peux bien te moquer!

– La paire de lunettes, Antoine, c'est pour voir clair en toi!

– Et vlan! J'aurais dû me méfier, aussi, et savoir que tu ne parles jamais à travers ton chapeau.

– C'est vrai! L'habitude de chercher l'essentiel, je suppose.

– Et, dans mon cas, ce serait quoi, l'essentiel?

– Faire face à ta souffrance. En parler pour pouvoir t'en libérer.

Marguerite marcha seule un moment le long du quai, puis revint sur ses pas.

– Essaie d'imaginer que je parte travailler avec deux valises de cinquante livres chacune tous les matins, que je les transporte à longueur de journée, que je revienne le soir en les traînant encore et que je te parle soudain de ma fatigue. Expliquerais-tu cette fatigue par un manque de vitamines?

– Un peu facile, non? On t'entend venir à cent milles d'ici, avec tes gros sabots!

– Aussi gros que ton gros problème! Tu me dirais de déposer mes valises et moi je te dis de vider ton sac! Penses-tu que d'en parler te la fera oublier? Ta Juliette vit en toi pour le reste de tes jours! Fais en sorte qu'elle soit moins lourde, c'est tout!

– Pourquoi je le ferais? Pour qui? Tu peux me le dire?

– Pour toi, Antoine, pour toi seul, et parce que tu en vaux la peine. Tu sais ce que dit Simone? Elle dit que chaque personne est unique, et grande, même la plus humble, et que la petite Thérèse de l'Enfant-Jésus en est la preuve. Elle dit aussi que là où on se trouve, là on doit être. C'est beau, non?

– La petite Thérèse de Lisieux... Tu savais que j'habitais tout près de là?

– Non.

– C'était la sainte préférée de Juliette.

Marguerite avait peine à croire qu'il avait prononcé son nom. Le vent se refroidissait, mais, malgré l'envie de relever son col, elle ne bougeait pas, craignant de rompre le fil menant à Juliette. Antoine sortit de sa poche une pipe.

– Tu veux entendre l'histoire de cette pipe ?

C'est à peine si Marguerite parvint à hocher la tête.

– Viens ! Il fait froid ! Je vais faire du feu à l'atelier et je vais te la raconter.

Pas fâchée d'aller se réchauffer, elle ne se fit pas prier.

– Je vais commencer par la fin, dit Antoine, dans le dos de Marguerite tandis qu'ils montaient le grand escalier de bois. Dans la grange, Juliette retient la pipe dans sa main, étendue sur la paille, nue, une grande tache rouge en pleine poitrine !

Un frisson parcourut le dos de Marguerite, qui la força à relever le col de son manteau.

Le mariage de Marie-Renée, auquel n'avait pas assisté Roger, en avait impressionné plus d'un par la beauté du jeune couple et la garde d'honneur qu'avaient formée les officiers dans l'église. Pourtant, celui de Laurent et de Clara resterait dans le souvenir de chacun à tout jamais.

Si certains membres de la famille Grand-Maison s'étaient interrogés sur le patronyme de Clara, nul doute ne pouvait subsister à la suite de cette journée. Faste, splendeur, aucun mot n'était exagéré. Florence riait aux éclats en faisant la description de la noce à Hortense.

– À eux seuls, les gardes du corps formaient une grosse famille ! Et les fleurs ! S'ils s'étaient approvisionnés chez vous, ils auraient vidé tes serres ! Les pièces montées ! Un énorme cygne, une cane et ses canetons, un hippocampe, et d'autres encore, tout en glace transparente ! Des cadeaux pour tous les invités !

– Et on prétend que le crime ne paie pas ! dit Hortense.

– J'ai beau en rire, j'espère seulement que le nom de notre famille ne sera pas associé au leur !

– Il ne manquerait plus que ça ! Et les nouveaux mariés ? Partis où, en voyage de noces ?

– En Sicile, ma chère !

À Catane, non loin du port, les jeunes époux vivaient les plus beaux jours de leur vie. Après avoir visité les familles du père et de la mère de Clara, où chacun s'était évertué à perpétuer la noce, une tante leur avait prêté sa maison. Ils se nourrissaient des légumes du jardin et de poissons frais qu'un pêcheur leur vendait moins cher que le prix d'un hameçon, prétendait-il, juste pour le plaisir de voir tous les jours les beaux yeux de Clara.

Un matin, ils partirent en mer avec ce pêcheur. Serré contre Clara à l'avant du rafiot, Laurent lui demanda :

– Tu savais que le paradis sur terre existe ?

– Je le découvre en même temps que toi chaque jour au creux de tes bras.

– Savais-tu aussi que je ne pourrais plus vivre sans toi ?

Clara riait, et le pêcheur aussi, de la voir si belle, sa longue chevelure bouclée ondoyant dans le vent, tandis que Laurent réprimait une angoisse subite. Loin de se dissiper, elle s'accentua quand Clara murmura à son oreille :

– Et toi, savais-tu que chaque minute de bonheur doit se vivre comme si c'était la dernière ? Toujours !

1950

– Le jour de l'An est vraiment le plus beau jour de l'année! Quand je pense à tous ceux que j'ai manqués!

Simone n'avait pas passé cette remarque pour blesser, mais elle atteignit Florence de plein fouet.

– Si seulement je pouvais effacer ces années de ta mémoire!

– C'était pas dit pour me plaindre, n'allez pas croire ça.

– Je sais, ma fille, je sais! Et même si c'était le cas, je comprendrais.

À force d'astiquage, la maison reprenait ses allures coutumières. Toute trace de doigts sur les murs disparaissait et les miettes sous les meubles relevaient déjà du passé. Seules les décorations marqueraient encore le temps des fêtes jusqu'à l'Épiphanie.

– Si on s'offrait un moment de répit? demanda Florence. Je pense que nous avons bien mérité une pointe de tarte.

Simone s'empressa de faire du thé. Sa mère avait parfois des accents de voix très doux qui, à son corps défendant, la bouleversaient. Elle mettait alors toute son énergie à éloigner la sensation de faiblesse qui la gagnait.

– L'air de rien, le moment approche où vous serez arrière-grand-mère de nouveau, dit-elle pour meubler le silence.

– La pauvre Colette est bien grosse, tu ne trouves pas? C'est à se demander si elle pourra marcher d'ici la fin du mois!

– Heureusement que sa sœur va l'aider tous les jours!

– L'aide est une chose, mais l'ennui qu'elle dégage en est une autre! En vieillissant, Raymonde ressemble de plus en plus à sa mère, et la pauvre Antoinette n'a jamais remporté la palme de la gaieté!

– D'après Marguerite, c'est aussi ce que dit Colette. Il semble pourtant que Raymonde s'anime de temps en temps.

– Ah oui? Et quand?

– En présence du mari de Colette, soit dit en toute confidence. Une situation plus drôle que menaçante, selon Colette.

De tous ses petits-enfants, Raymonde était la seule que Florence n'aimait pas. Elle s'abstint de dire que, tout comme son père, elle se méfiait des personnes aux yeux trop rapprochés du nez, signe incontestable d'envie et de jalousie. «Regarde ta pauvre grand-mère, disait Cléophas. Elle vient deux fois par année, juste pour le plaisir d'embêter ta mère, et elle passe son temps à envier tout un chacun. C'est parce qu'elle a les deux yeux dans le même trou!» Florence voyait une ressemblance certaine entre sa petite-fille Raymonde et sa grand-mère maternelle.

À cause du silence de sa mère, Simone cherchait à présent un sujet de conversation, sans comprendre que ses efforts tendaient à combler le fossé qui les séparait.

– Est-ce que je vous ai montré l'ensemble que j'ai tricoté pour le bébé de Colette?

– Non! J'aimerais bien le voir!

Simone éprouva un réel soulagement à l'idée que ce nouveau sujet puisse les mener jusqu'à la fin de la collation. Elle souhaita que sa mère retourne le plus vite possible au travail, car les brefs instants qu'elle passait seule en sa compagnie la plongeaient dans l'anxiété. Elle revint avec son tricot et le déposa sur un coin de la table.

– C'est superbe! s'exclama Florence. Même mon amie Zélia, qui avait pourtant des doigts de fée, n'aurait pu le réussir aussi bien!

– J'ai trouvé d'autres modèles, tout à fait différents. La famille peut continuer de s'agrandir, j'en aurai pour tous les goûts !

– Sais-tu à quel point ta présence nous est précieuse, à moi et à toute la famille ?

– Mon Dieu ! Vous avez vu l'heure ? demanda Simone en ramassant son tricot. Si ça continue, Marguerite et Antoine vont passer sous la table à l'heure du souper !

Florence resta seule avec sa pointe de tarte inachevée. Elle soupira, puis se remit à manger sans grand appétit.

– Va-t'en pas, Malvina ! Laisse-moi pas toute seule !

Désespérée, la veuve Grolo veillait sur sa vieille amie qui dépérissait sous ses yeux.

– J'ai juste dormi un peu, mais, maintenant que tu m'as réveillée, laisse-moi te parler tandis que j'ai encore toute ma tête. Demain, peut-être que j'en aurai pas la force. J'ai vu Louisa, cette nuit. Elle m'attend. Elle m'a même tendu les bras, c'est tout dire ! Seulement, je voulais pas partir avant de t'avoir remerciée. *Viarge* que tu m'as fait une belle vie ! Excuse-moi pour le gros mot, mais je peux pas mieux l'exprimer.

– Faut pas t'essouffler, Malvina. Veux-tu un peu d'eau ?

– Je veux juste que tu me laisses parler, pis que tu comprennes que toute bonne chose a une fin. C'est mon heure, il y a pas d'autres mots pour le dire. Avoir eu le choix, je serais partie après toi, pour pas te laisser toute seule derrière moi. Sans ta générosité pis ton amitié, j'aurais pas même imaginé finir mes jours dans une si belle maison, pas plus que j'aurais pu rêver de voyager comme on l'a fait, avec les belles toilettes qu'on se confectionnait avant de partir. J'aurais rien connu de tout ça et je peux même pas te remercier en partant après toi !

Malvina fit une pause et la veuve Grolo en profita pour lui humecter les lèvres.

– J'ai pas fini. Je veux encore te dire que c'est pas la peine d'aller au cimetière pour me parler. T'es trop vieille pour te trimballer jusque-là. T'auras qu'à me jaser ici, dans ta belle maison, et je serai là pour t'écouter. Même si je réponds pas, dis-toi que je serai là, tout comme Louisa l'était pour moi.

La veuve Grolo pleurait et ses larmes roulaient sur les mains de Malvina.

– C'est bon de sentir qu'on nous aime, mais je voudrais pas que tu me pleures trop longtemps. Quand tu penseras que t'es toute seule, ouvre nos albums de voyage et laisse les photographies te parler. Des souvenirs comme ça, ce serait péché de pas les entretenir.

– Je ferai tout ce que tu voudras, Malvina, mais promets que tu seras à mes côtés quand ce sera mon tour de partir. Si tu le promets, j'aurai moins peur.

Malvina hochait la tête. Un faible sourire retroussait ses lèvres mais aucune parole ne les traversait. Elle croyait pourtant continuer la conversation avec la veuve Grolo, puisque dans sa tête elle disait : «C'est pas la peine d'avoir peur, il y a plein de monde qui nous attend. Il y a qu'à leur dire d'ouvrir la porte, qu'on veut bien les suivre. Oui, mais moi, je veux pas que t'ouvres tout de suite, Louisa, pas maintenant! Attends un peu! Juste un peu!»

Impuissante, la veuve Grolo assistait au dernier combat de Malvina.

Couchée sur le dos, sa chevelure noire étalée sur l'oreiller, Clara caressait son ventre d'une main amoureuse. Incrédule, Laurent suivait les mouvements de la main sur le ventre lisse.

– Tu crois que c'est possible? Déjà?

– Je suis aussi régulière que l'horloge de ton grand-père! Que veux-tu que ce soit d'autre?

Laurent se pencha sur le ventre de sa femme et fit mine d'écouter.

– Parle plus fort, mon gars, j'entends mal!

– Comment ça, mon «gars»?

– Chut! Il dit que nous devons trouver… un quoi? Un prénom?

– Quand il bougera, pas avant! Et dis-lui de ne pas me faire un trop gros ventre!

– Ta maman dit que tu peux manger à ta faim et lui faire un aussi gros ventre que celui de tante Colette.

– Pitié! Ton papa ne m'aimera plus!

Laurent prit le visage de Clara entre ses mains, l'embrassa, puis la serra très fort dans ses bras.

– Je t'aimerai toujours, ma Clara. Aussi grosse que ta tante Rosa, je t'aimerais quand même!

– Je ne blague pas! J'ai vraiment peur! Peur que tu ne me désires plus.

– Quand j'en aurai deux fois plus à désirer? Tu veux rire?

– Sois sérieux, pour une fois! Rassure-moi!

Laurent n'exprimait jamais à Clara la profondeur de son amour. Les mots venaient souvent au bord de ses lèvres, mais il les remplaçait par d'autres. Des mots qui faisaient rire, qui masquaient sa peur. Sa peur de la perdre. Les mots retenus jusque-là lui échappèrent pourtant, devant le désarroi de Clara.

– Pour ne plus te désirer, il faudrait que je ne t'aime plus. Et pour ne plus t'aimer, il faudrait que je meure. Tant et aussi longtemps que tu seras dans mes bras, je ne mourrai pas. Tu es l'amour qui me garde en vie et entretient mon désir. Tu es ma Clara aux boucles noires, ma Clara douce et belle.

Les grands yeux noirs de Clara s'étaient refermés. Elle se laissait bercer dans les bras de Laurent et ses paroles agissaient sur elle comme la brise de Catane, au petit matin, chargée des embruns de la mer, alors que les mouettes dessinaient sur le bleu du ciel des arabesques blanches.

– Belle au matin quand tu dors, poursuivait Laurent, et que je me penche sur toi pour respirer l'odeur de ta peau. Belle au milieu de la nuit, quand je m'éveille pour m'assurer de ta présence. Belle à chaque minute de bonheur qui, jamais, ne sera la dernière.

Clara pleurait.

– Tu m'aimes donc autant que je t'aime ?

– Maintenant que tu le sais, ne l'oublie jamais.

Irène s'était sérieusement remise à l'orgue et ses fins de semaine se passaient dorénavant dans les églises, lors de mariages, de grands-messes ou de baptêmes. Durant la semaine, elle noircissait son agenda d'activités diverses afin que pas une journée ne la laisse à elle-même, et, si aucune ne se présentait, elle s'en créait. Une page de vendredi toute blanche l'avait incitée à convaincre sa mère de renouveler sa garde-robe et Florence avait accepté avec empressement, car les occasions de se retrouver en sa compagnie se faisaient rares.

Après un avant-midi d'achats effrénés, Florence avait demandé grâce et reçu la permission de faire une pause à l'heure du dîner.

– Je viens de dépenser une fortune et tu dis que ce n'est pas assez ?

– Votre garde-robe, vous la renouvelez aux cinq ans ou aux dix ans ?

Florence riait et mangeait avec appétit. Elle n'avait pas imaginé que la journée puisse se dérouler aussi agréablement. Depuis le départ d'Élisabeth, peut-être même avant, elle avait noté un changement de comportement chez sa fille. Elle avait beau ne pas savoir à quoi l'attribuer, elle soupçonnait une tristesse immense derrière ses activités débridées. De là à lui poser des questions directes, il y avait une marge qu'elle n'était pas certaine de pouvoir franchir. C'est pourtant Irène elle-même qui lui donna l'occasion d'un rapprochement.

– Toute ma vie, je me suis réfugiée auprès de Tatiana. Qu'il s'agisse d'événements tristes ou heureux, c'est spontanément vers elle que je vais. Je me suis souvent demandé si vous en ressentiez un peu de…

– De jalousie ? D'envie ? Probablement ! Quoique ces mots-là ne traduisent pas vraiment ce que je ressens, parce que j'éprouve aussi une immense reconnaissance envers Tatiana. Elle t'a aimée avec des gestes, avec des mots. Elle t'a donné les preuves tangibles dont tu avais besoin. Moi, je t'ai aimée avec mon cœur, mais de loin, comme si les mots et les gestes n'arrivaient pas à faire leur chemin jusqu'à toi.

– Certaines fois, vous y êtes arrivée.

– J'aimerais bien y parvenir encore une fois, mais je ne sais pas ce qui te rend triste et je ne sais pas si je peux oser te le demander.

– Il y a des chagrins qu'on ne peut pas raconter.

– Ma pauvre enfant ! Si seulement je pouvais t'offrir cent trente-deux roses blanches, juste pour alléger ta peine !

– Ou m'écraser une branche de lilas sur le nez !

– Si je t'offrais un après-midi au cinéma ?

Irène regardait sa mère sans comprendre.

– Nous irons voir un film d'amour infiniment triste, et toutes les deux, dans le noir, nous pourrons pleurer ensemble. Je prendrai ta main si tu le veux, je prendrai ta peine !

Irène était trop émue pour répondre, mais elle trouva que l'idée du cinéma valait autant que les roses et le lilas, et que pas même Tatiana n'aurait pu trouver mieux.

Pauline et Élisabeth s'engageaient sur le pont des Arts quand un grand jeune homme les aborda timidement. Il cherchait le musée du Louvre, qu'il avait sous les yeux et où elles se rendaient justement. Il avait un accent étranger. Sans hésitation, Élisabeth lui répondit en russe. Le visage du grand jeune homme s'illumina et, tandis que la conversation s'animait entre eux, une vérité toute simple sauta aux yeux de Pauline : ces deux-là étaient faits l'un pour l'autre et, s'ils l'ignoraient encore, ils s'aimaient déjà.

Elle traîna le pas pour mieux les observer. Ils étaient beaux à voir et à entendre. Malgré le fait qu'elle ne comprenait pas un traître mot à ce qu'ils disaient, elle se sentit soudain indiscrète. Et de trop. Elle prétexta un mal de tête subit, sans qu'aucune protestation de la part d'Élisabeth la retienne.

Et, comme il arrive parfois que le cœur s'allège au contact du bonheur des autres, Pauline crut de nouveau à l'amour, sur le pont des Arts.

Il était à peine neuf heures que Colette soupirait déjà d'ennui.

– Tu devrais sortir, suggéra Raymonde, aller au cinéma, faire du magasinage. Tu peux prendre toute la journée si ça te chante. Je m'occuperai de Chantal.

En matière de sorties, Colette avait appris à ne plus compter sur André, la plupart du temps en voyage d'affaires. Elle accepta donc avec plaisir la proposition de sa sœur. À deux semaines de l'accouchement, l'idée du transport en commun lui sembla au-dessus de ses forces et elle demanda un taxi pour se rendre au centre-ville. Au moment de régler la course, elle réalisa qu'elle avait oublié son argent et refit ainsi le trajet dans le sens inverse. Elle pria le chauffeur de l'attendre et entra chez elle en maugréant sur sa distraction qui allait lui coûter passablement cher.

En passant devant la chambre de sa fille, elle vit qu'elle dormait et continua vers sa propre chambre pour prendre son argent. Elle entendit le rire de sa sœur, un rire inhabituel qu'elle ne lui connaissait pas, et, en ouvrant la porte, elle la trouva dans son lit, nue, dans les bras d'André supposément en voyage jusqu'au lendemain. La scène lui parut si invraisemblable qu'elle émit d'abord un petit rire nerveux. Puis, comme les deux autres restaient cloués au lit sans rien dire et qu'elle-même n'arrivait pas à prononcer une seule parole, elle marcha vers sa commode, prit son argent et sortit de la chambre. Elle habilla sa fille en vitesse, revint au taxi et indiqua cette fois l'adresse de sa grand-mère.

Florence, Simone, Antoine et Marguerite allaient se mettre à table quand Colette entra. Simone n'oublierait jamais ce moment. Elle se souviendrait de chaque détail, y compris des cloches de l'Angélus, qu'elle entendit alors que la porte s'ouvrait, de la petite Chantal dans les bras de sa mère, les fesses bien appuyées sur son énorme ventre, du visage défait de Colette et de sa triste histoire, qui, malgré des circonstances tout à fait différentes, allait lui rappeler la trahison de Manuel.

— Je viens de surprendre Raymonde, ma propre sœur, dans mon lit avec mon mari!

Florence fut près d'elle aussitôt et lui prit l'enfant des bras.

— Ma pauvre enfant! Viens vite t'asseoir!

— Tu veux bien que j'emmène Chantal à l'atelier? demanda Antoine.

Colette ne sembla pas l'entendre, mais Florence lui tendit la petite et il disparut aussitôt.

Simone se hâta de chauffer un lait au chocolat et Marguerite s'agenouilla pour retirer les bottes des pieds de Colette. Assise à ses côtés, Florence prit ses mains dans les siennes.

— Dieu du ciel! Comment est-ce possible? Une telle abomination! Ta grand-mère est là, mon enfant, et elle va prendre soin de toi.

Colette se jeta dans les bras de Florence et raconta son histoire en mots hachurés par les sanglots.

– Et où se trouve ta sœur maintenant ?

– Telle que je la connais, elle a dû courir jusqu'à la maison et se réfugier sous les jupes de maman !

– Reste à savoir ce qu'elle va essayer d'inventer ! dit rageusement Marguerite.

– Simone et Marguerite vont te donner à manger et te préparer une chambre. Tu resteras auprès de nous aussi longtemps que tu le souhaiteras. Pour ma part, je traverse un moment chez ta mère.

Comme l'avait supposé Colette, Florence trouva Raymonde dans les bras d'Antoinette. Roger et Marcel se tenaient derrière elles, l'air stupéfait.

– Il m'a prise de force ! hurlait Raymonde au moment où Florence entrait.

À la surprise générale, Florence fonça sur elle, l'arracha aux bras de sa mère et la gifla à toute volée.

– De force, dis-tu ? Alors que tu riais à gorge déployée quand ta pauvre sœur, enceinte jusqu'aux yeux, t'a surprise toute nue dans son lit ? Avec son propre mari ?

– C'est impardonnable ! lança Roger à l'endroit de sa sœur.

– Grand-mère, comment va Colette ? demanda Marcel.

– Démolie ! À ramasser à la petite cuiller !

– Je sais ce qu'il me reste à faire !

– Marcel ! cria Roger. Ne pose pas de geste inconsidéré !

– Un cassage de gueule en règle n'a jamais tué personne ! Je vais lui arranger le portrait, au beau-frère ! Et je vais faire maison nette ! Je voudrais bien voir qu'il reste là une seule minute de plus !

Marcel partit et Roger resta sur place tandis que Raymonde se frottait les joues et qu'Antoinette, les yeux exorbités, se transformait en statue de sel. Florence fixa alors sa petite-fille et lui dit, d'une voix méconnaissable :

– Tu ne l'emporteras pas en paradis, Raymonde! À partir de maintenant, tu ne pourras plus jamais remettre les pieds chez nous! Jamais! Tu m'entends? Tu ne fais plus partie de ma famille! Par conséquent, je te déshérite!

Florence tourna les talons et repartit aussi vite qu'elle était venue.

Depuis le jour où Tatiana avait quitté le service de Florence, alors que Simone revenait à la maison et qu'Igor jugeait ce moment idéal pour qu'elle prenne enfin sa retraite, elle allait tous les soirs rejoindre son mari au Sélect. Elle l'aidait pour la fermeture et il pouvait ainsi sauver une bonne heure de travail.

Bras dessus, bras dessous, ils revenaient ce soir-là par un froid qu'Igor qualifiait de sibérien. La tête relevée vers le ciel, Tatiana lui fit remarquer que les étoiles, en scintillant, semblaient frissonner. Ils allaient d'un bon pas quand elle demanda :

– Tu as réfléchi à la proposition d'Irène?

Ils arrivaient à la propriété des Grand-Maison. Brisée sous les rafales répétées de janvier, une branche de peuplier barrait le chemin de la grande allée. Avant de répondre, Igor libéra leur passage en traînant la branche avec lui.

– J'y ai réfléchi, ma tsarina, mais je n'arrive pas à prendre une décision.

– Irène est bien seule, maintenant qu'Élisabeth est partie et que Laurence est toute à son bonheur.

– Je sais! D'autant plus que Léopold se transforme en éponge dès qu'il passe la porte du Sélect. Encore hier, juste avant ton arrivée, j'ai dû le reconduire chez lui complètement ivre. Tu crois vraiment qu'il boirait moins si nous allions habiter avec eux?

– Irène le prétend.

Accolé à l'immense demeure des Grand-Maison, où pas une lumière ne brillait, leur petit appartement laissait percevoir la lueur d'une lampe, ce qui le rendait plus accueillant à leur retour du Sélect. Igor planta la branche du peuplier dans un banc de neige et demanda, mi-rieur, mi-sérieux :

– Toi-même, Tatiana Rostopchine, ici présente, que penses-tu de cette proposition?

– Pour toute réponse, Igor Rostopchine, ici présent, je dirai que nous pouvons encore y réfléchir.

Ils entrèrent dans leur petit appartement, celui qu'ils habitaient depuis plus de quarante ans et qu'Arthur en mourant leur avait légué pour la durée de leur vie, et une même bouffée de bonheur les atteignit.

– C'est une sage décision, dit Igor en enlaçant Tatiana. Une pareille proposition demande une très, très longue réflexion.

En moins d'une semaine, le printemps était passé du vert tendre au vert forêt, et, en moins de vingt-quatre heures, deux personnes laissaient un grand vide autour d'elles.

La mort de Mme Larose, la mère de Lucienne, survint en premier. Simone n'avait jamais coupé les liens avec elle, la visitant fidèlement toutes les deux semaines. Elle ressentit un chagrin immense et avoua à Marguerite qu'elle ne pourrait sûrement pas souffrir de la sorte à la mort de sa propre mère. Elle décida sur-le-champ de passer quelques jours auprès de son amie Lucienne, qui avait grand besoin de soutien.

Puis, accompagnée de son frère Maurice, d'Hortense, d'Igor et de Tatiana, Florence partit enterrer Émile en Floride. Antoine, pour qui le printemps ramenait immanquablement des odeurs de muguet et de fiançailles, s'était excusé auprès de sa mère et Florence n'avait pas insisté. Elle n'avait cependant pas cru à la maladie subite d'Irène, mais, malgré le chagrin qu'elle éprouva de son manque de soutien, elle n'en laissa rien paraître.

Le jour même où Antoine se retrouva seul, il décida de nettoyer son atelier de fond en comble. Il y avait passé plusieurs heures, combattant ainsi ses démons intérieurs, quand Marguerite vint le rejoindre.

– J'arrive de travailler et il y a rien à manger ! Tu viens m'aider à préparer le souper ?

Antoine faillit s'excuser mais força une fois de plus son corps et son esprit à l'action. Le repas terminé, il aida Marguerite à tout ranger et retourna à l'atelier. Les soirées étaient encore trop froides pour y rester sans un bon feu de bois. Il empila quelques bûches dans le poêle en fonte et s'accroupit devant les flammes. Parfaitement sec, l'érable brûlait bien. Il y ajouta un peu d'écorce de bouleau et le feu crépita de plus belle, faisant jaillir mille étincelles.

Alors qu'elles s'évanouissaient au contact de l'air, un souvenir se rallumait dans l'esprit d'Antoine. Un autre lieu, un autre feu, une étincelle sur le pied nu de Juliette, une brûlure léchée, des rires, des caresses sous les flammes jusqu'à leur extinction, le retour à la ferme dans le froid de la nuit montante. Le souvenir disparut, malgré les efforts d'Antoine à le retenir. Il se releva alors d'un bond, pris d'une rage terrifiante, et le premier objet sur lequel ses yeux se posèrent fut une hache. Il s'en empara et sortit de l'atelier comme un fou.

Les premiers cris d'Antoine figèrent Marguerite sur place. Elle crut d'abord à des hurlements de bête sauvage, mais se ressaisit en réalisant les errements d'une telle pensée. Elle courut alors aux fenêtres du solarium et, toutes lumières éteintes, scruta l'épaisseur de la nuit. Une lame brilla sous la lune et Marguerite cria à son tour. À grands coups de hache et de cris inhumains, Antoine tailladait le tremble centenaire au fond de la cour, tout près du grand escalier de bois. L'arbre aux murmures, comme l'avait baptisé Colette à l'âge de quinze ans, et dont une bribe du poème revenait à l'esprit de Marguerite tandis qu'elle se ruait vers l'extérieur : «Il gazouille, chante et pleure, l'arbre aux murmures.» Elle courut vers Antoine autant que vers l'arbre. Les cris n'avaient pas cessé, ni les coups de hache, ni les battements désordonnés du cœur de Marguerite. À vingt pas de l'arbre, elle s'arrêta.

– Sors de ta maudite folie, Antoine Grand-Maison! Sors de ta folie!

La hache retomba des mains d'Antoine. Il recula en titubant, puis s'immobilisa tout près de Marguerite.

– Regarde! dit-il en désignant l'arbre.

– Et maintenant il se meurt, l'arbre aux murmures, dit Marguerite sans trop s'en rendre compte, comme si elle mettait un point final au poème de Colette.

Antoine n'avait pas entendu et continuait de crier :

– Regarde! Tu ne vois pas? Là! Dans l'arbre!

– On dirait la forme d'un corps.

– Le corps de Juliette! Le corps de Juliette!

Marguerite se mit à pleurer. D'abord tout doucement, puis en gros sanglots qui la secouaient violemment. Antoine la prit dans ses bras et pleura avec elle. Quand elle releva finalement la tête vers lui et qu'elle plongea son regard dans le sien, elle ne put soutenir la douleur qui s'y lisait. Elle eut peur qu'il se noie dans une folie sans fond. Elle eut peur de le perdre et l'embrassa. Sur les joues, sur le front, sur la bouche, puis l'entraîna jusqu'à l'atelier. Elle se dévêtit complètement et, face aux flammes qui rougeoyaient encore, elle ouvrit les bras pour qu'Antoine s'y blottisse.

Antoine ne s'y blottit pas mais s'agenouilla devant elle. Le geste surprit Marguerite, qui ne connaissait rien aux choses de l'amour, mais bien vite elle rabaissa ses mains sur la tête d'Antoine et laissa déferler en elle des vagues de plaisir qui peu à peu devinrent si intenses que ses jambes refusèrent de la soutenir.

Antoine la souleva, la transporta à la maison et monta à sa chambre. Il l'étendit sur son lit et caressa son corps, la tournant, la retournant, pour la connaître tout entière. Puis il se déshabilla et, lentement, tout en douceur, la pénétra. Marguerite eut mal, mais aima jusqu'à ce mal qui l'ouvrait à la vie, et elle gémit de plaisir plus que de douleur.

Au petit matin, Antoine alluma sa pipe et dit :

— Juliette avait une peau laiteuse, semblable à la porcelaine sous le soleil. Elle avait un corps de lumière, fait pour qu'on l'aime au grand jour. Le tien, Marguerite, a la beauté de l'ébène et il prend son éclat sous les étoiles et le feu. Son chatoiement s'accorde aux couleurs de la nuit. Aucune confusion possible entre vous deux, tu comprends ?

— Tu m'as donc prise consciemment ?

— Aussi consciemment que tu t'es offerte.

— Et si je disais que je t'aime, Antoine ?

— Je dirais que je t'aime aussi, Marguerite.

— Sans dire que tu es mon oncle, que je suis ta nièce, et que tout cela est mal ?

— Sans le dire, sans même le penser.

— Et tu aimeras toujours Juliette ?

— Elle ne sera jamais entre nous. Elle aura été notre lien, tout autant que Simone qui, loin de nous séparer, nous unira. Tu le lui diras ?

— Tu crois qu'elle comprendra ?

— Nous avons suffisamment souffert, tous les trois, pour comprendre au-delà de l'entendement. Dis-lui que mon amour pour toi n'est pas une menace, mais la solution pour ne jamais t'éloigner d'elle. Dis-lui que ton amour pour moi ne craint pas les souvenirs et qu'il me sauve de la folie. Dis-lui aussi qu'elle seule connaîtra notre secret et que pour cela je l'aimerai infiniment.

– Oui, je lui parlerai de nous.

Alors, Antoine se pencha sur Marguerite et murmura :

– Dis-lui aussi que je ne suis peut-être pas le prince charmant que je t'ai promis dans ton enfance, mais que tu es, toi, ma princesse aux grands yeux noirs.

Dès que Marguerite fut partie travailler, il prit dans l'atelier ses gouges et ses ciseaux à bois, récupéra sa hache et abattit le tremble. Il conserva la partie du tronc portant la forme encore vague du corps de Juliette, qu'il fit descendre par la côte le long de l'escalier avant de le charger sur sa vieille chaloupe.

Il rama jusqu'à l'île la plus proche, celle que personne n'abordait sans crainte parce que surnommée l'île aux Fantômes. Le passé en lui se mêlait au présent qu'il avait ébauché avec Marguerite la nuit précédente. Peines et joies formaient un grand tumulte de vie qui tournoyait dans tout son être et le recréait.

Il accosta et débarqua sur les bords de l'île sombre, où les noyers cendrés étendaient leurs branches à la manière de longs bras prêts à repousser les intrus. Il installa son tronc et commença à sculpter le corps de Juliette avec application, toute colère l'ayant abandonné.

Parfois une larme glissait sur sa joue tant la ressemblance était vive : Juliette émergeait sous ses mains, vivante, et s'abandonnait à lui pour la dernière fois, docile et heureuse de reprendre vie. Plus le travail avançait, plus ses tourments s'apaisaient ; tout en ramenant le passé au grand air, il faisait place nette, sortait sa douleur en pleine lumière, l'assumait, en faisait le deuil.

Vers la fin de l'après-midi, alors que le jour s'estompait et que montait un épais brouillard, il creusa de ses mains nues un grand trou dans le sable. Des iris sauvages poussaient près de l'eau. Il en cueillit autant qu'il le put, les déposa au fond et coucha ensuite le corps de Juliette sur le lit d'iris. Alors, il alluma sa pipe et fuma un moment, assis à ses côtés, le cœur en paix, puis déposa finalement sa pipe au fond du grand trou, qu'il referma.

Il redescendit la rivière comme en un rêve, accompagné du seul bruit des rames qui frappaient l'eau grise et lisse. La brume enveloppa l'embarcation d'un nuage blanchâtre qui se dissipa légèrement à son arrivée.

– Marguerite ! cria-t-il en l'apercevant sur le quai.

Il sut à ce moment précis que déjà le nom de l'une effaçait le nom de l'autre.

Tout le long de la rivière, des feux s'allumaient çà et là pour fêter la Saint-Jean, et, comme à chaque année, celui du Sélect semblait monter plus haut que tous les autres. La famille Grand-Maison dansait, chantait, il y avait du punch, de la bière, des sandwichs, des croustilles, des guimauves pour plus tard, à faire griller au-dessus de la braise quand le feu aurait brûlé longtemps, que les danses auraient toutes été dansées et que seules les chansons douces tiendraient encore le coup.

La fête battait son plein et Alfred Poulin attendait son moment, guettant une accalmie, tout en s'assurant que Florence Grand-Maison n'allait pas quitter les lieux sans crier gare. Il lui réservait une surprise de taille et n'entendait pas qu'elle lui échappe avant l'heure. Elle se tenait non loin du feu, un verre de punch à la main, qu'elle portait rarement à ses lèvres. Ses petits-enfants allaient et venaient autour d'elle, l'entouraient, et le regard qu'elle posait sur eux exprimait son amour et sa fierté. «Laurence a raison, pensa Alfred Poulin. Une femme de feu et de glace.»

Profitant d'une pause après une ronde endiablée autour du feu, il leva son verre et dit, d'une voix assez forte pour retenir l'attention de chacun :

– Je propose un toast ! Comme vous le savez tous, Laurence et moi allons nous marier en octobre. Pourtant, je veux lui offrir son cadeau de mariage dès aujourd'hui. Bien en avance, me direz-vous, mais que vaut une vie sans surprises? À Laurence!

Alors que les verres s'entrechoquaient et que Laurence semblait tomber des nues, Alfred Poulin déchira le papier d'emballage qui avait recouvert jusque-là le cadeau, découvrant une corbeille toute blanche, piquée de tulle et de fleurs miniatures.

– La corbeille de la mariée! dit-il haut et fort en la tendant à Laurence.

Du coin de l'œil, il observa Florence Grand-Maison. Elle avait le regard dur, les lèvres pincées, et il sut qu'elle venait de comprendre, précisément à cause de la corbeille. Il y avait une grande enveloppe au fond du panier, que Laurence ouvrit en toute hâte. Elle lut rapidement le contenu et resta bouche bée quelques instants avant de sauter au cou de son fiancé.

– Le notaire n'attend plus que ta signature. Grâce à Léopold, qui a bien voulu céder sa part, cette signature fera de toi, à part égale avec Mme Grand-Maison, la propriétaire du Sélect!

Afin de ne pas perdre la face aux yeux d'Alfred Poulin, Florence attendit près d'une heure avant de se retirer. Elle ne comprenait pas comment il était parvenu à ses fins et n'entendait surtout pas le lui demander. Elle ne saurait donc jamais que, des mois durant, il allait le soir au Sélect, prenait un verre ou deux en compagnie de Léopold, puis le quittait sans dévoiler ses intentions. Il ne mit pas longtemps à découvrir que sans Igor, qui défendait les intérêts de Florence Grand-Maison, le Sélect aurait rapidement dépéri, car Léopold se saoulait de plus en plus tôt chaque soir. Quand il lui fit une offre, il sut qu'il n'allait pas la refuser : Léopold venait de lui avouer son état de santé qui, selon les médecins, exigeait qu'il réduise ses activités et élimine complètement la boisson.

«Feu, feu, joli feu», chantait en chœur la famille Grand-Maison alors que s'éteignaient un à un les feux de la Saint-Jean, qu'on enfilait déjà les guimauves sur des tiges d'arbuste, longues et solides, et qu'on entendait de nouveau le clapotis de l'eau sur les quais.

Marcel entra dans l'atelier et surprit Antoine en pleine réflexion.

— Des regrets? demanda-t-il.

— Jamais de la vie! Bien au contraire! J'en aurai mis, du temps, avant de réaliser que la sculpture pouvait me transformer! Attends de voir les surprises que je vous réserve!

— Si je suis arrivé avant les autres, c'est sûrement pas pour attendre! C'est pour voir les plans du nouvel atelier avant tout le monde!

— Pas de passe-droit! Tout le monde en même temps! Comme Laurent et Roger n'arrivent qu'après le souper, je te trouve une occupation ou tu préfères te tourner les pouces?

— Quand j'aurai vu les plans, je pourrai commencer. Pas avant!

Antoine jugea qu'il avait suffisamment étrivé son neveu. Il déroula alors en riant sa grande feuille quadrillée et expliqua à Marcel les transformations de l'atelier.

— Si j'ai bien compris, tu abandonnes complètement l'ébénisterie?

— Complètement!

— Et, d'après les plans tout en hauteur, j'en déduis que tu nous réserves des sculptures de taille?

— À la mesure de ma démesure!

Antoine avait lancé ces quelques mots en riant, mais Marcel sentit, sous le rire de son oncle, une énergie qui le fascina.

— J'ai encore quelques courses à faire, dit Antoine. Si le cœur t'en dit, tu peux commencer par décrocher du plafond toute la ménagerie de l'arche de Noé. Je serai de retour dans une heure ou deux.

Au moment où il sortait, Marcel cria :

– Ça fait du bien de te voir comme ça !

Antoine se contenta de sourire et partit.

Marcel installa alors l'échelle dans un coin de l'atelier où un groupe de cinq oiseaux planait silencieusement depuis son enfance. Il y avait un cormoran, un goéland, un affreux corbeau, un aigle royal et, tout au milieu, une mouette blanche qui semblait crier à l'aide. À quelques marches du haut de l'échelle, il remarqua un renfoncement le long du mur. Par simple réflexe de curiosité, il étira le bras et, à l'intérieur du réduit, sa main heurta un objet. La curiosité piquée à vif, il descendit, accota l'échelle au mur et remonta. Il plongea la tête dans le réduit, mais il y faisait trop noir pour distinguer quoi que ce soit. Il alluma son briquet et discerna deux sacs, l'un entrouvert et d'où émergeait un couvercle. Intrigué, il sortit le couvercle, puis une soupière. En mettant la main sur une théière, il échappa un cri de surprise car il reconnaissait au même instant l'argenterie ayant jadis orné le buffet de leur salle à manger. Il ouvrit fébrilement le deuxième sac. Son briquet le lâcha juste comme il mettait la main sur un objet dur et froid qui ne permettait aucun doute sur sa nature malgré la noirceur du réduit. Son pouls s'accéléra tandis qu'il essayait de nouer les sacs. Il lança le plus léger au bas de l'échelle et redescendit avec l'autre. Incapable d'ordonner ses pensées, il décida que la principale intéressée demeurait sa mère, à qui appartenaient l'argenterie et les bijoux qu'il pensait avoir effleuré.

Il soupesa ses chances de sortir de l'atelier sans être vu et traversa finalement la cour à toute vitesse. En entrant chez lui, il monta si vite à sa chambre que personne ne put distinguer ce qu'il portait. Il déposa les sacs sur son lit, puis appela sa mère et referma la porte derrière elle.

– Regardez !

Antoinette s'approcha du lit et reconnut, malgré la moisissure du tissu, les taies d'oreiller qu'elle avait tant cherchées, se refusant à admettre qu'on puisse perdre de la lingerie dans sa propre maison.

– Veux-tu bien me dire ce que tu as fait avec mes taies d'oreiller? demanda-t-elle, un peu offusquée.

– Je pense que vous devriez d'abord vous asseoir.

Antoinette s'assit au pied du lit de son fils. Un léger malaise l'envahissait et elle n'aurait su dire si elle l'attribuait à l'odeur de moisi ou à l'appréhension de découvrir le contenu des taies d'oreiller. Marcel en ouvrit une et la vida sur son lit. À la vue de son argenterie, Antoinette blêmit. Marcel regarda ensuite à l'intérieur de la deuxième enveloppe et, lentement, commença à sortir les bijoux de sa mère. Trois objets restaient au fond, qu'il n'osait pas encore lui montrer.

– Où as-tu trouvé ça?

– Dans l'atelier d'Antoine, au fond d'un réduit qui se trouve tout en haut d'une échelle. La cache idéale pour l'or de Séraphin Poudrier!

– Antoine est donc au courant?

– J'étais seul dans l'atelier.

– Qu'est-ce qu'il y a au fond? demanda Antoinette d'une voix mal assurée.

Marcel sortit le portefeuille et la montre de son père et Antoinette vit l'hésitation de son fils à sortir l'objet suivant.

– Une arme? demanda-t-elle faiblement.

– Oui.

– Pas la peine de la sortir! C'est déjà trop de le savoir!

Marcel avait la gorge serrée. Il aurait aimé prendre sa mère dans ses bras, se faire rassurant, mais ce geste ne lui était pas familier et il n'osa pas. Afin de chasser son malaise, il se mit à penser tout haut et, inconsciemment, il employa le conditionnel.

– Comment l'assassin de papa aurait-il pu se rendre à l'atelier d'Antoine? Et pourquoi l'aurait-il fait?

Antoinette venait d'ouvrir le portefeuille de Gérard. Elle sortit les billets de banque qu'il contenait et les compta.

– Et pourquoi aurait-il laissé derrière lui quatre cent trois dollars ?

– C'est un non-sens ! s'écria Marcel. Un voleur prêt à tuer pour obtenir ce qu'il veut repart avec tout son butin ! Maman, dites-moi que je me trompe ! Dites-moi que papa ne s'est pas suicidé ! De toute manière, qui aurait pu déguiser son suicide en meurtre ?

– Viens t'asseoir près de moi, Marcel.

– Grand-mère !

Marcel avait l'impression de revivre ce dimanche où toute la famille revenait de pique-niquer et où les policiers leur interdisaient l'entrée de leur propre maison.

– Grand-mère et le vieux docteur Dagenais ! C'est elle qui a découvert papa et a appelé le docteur à sa rescousse !

Marcel se laissa tomber sur le lit. Alors que le fils pensait réconforter la mère, l'inverse se produisit. Antoinette entoura Marcel de son bras et attira sa tête sur son épaule. Puis, tendrement, elle balança son corps dans un mouvement de va-et-vient apaisant. Marcel accepta ce que son esprit avait repoussé au moment où il avait trouvé les taies d'oreiller et il pleura son père comme s'il venait tout juste de le perdre, à la différence qu'il versait cette fois des larmes où la rage l'emportait sur la tristesse et qu'il transférait son admiration de son père à sa grand-mère.

– Pourquoi ? Pourquoi ?

– Ton père n'avait pas d'aptitude au bonheur. Pas plus que moi, d'ailleurs, mais sans doute en souffrait-il plus que moi. Un jour, quand tu avais douze ou treize ans, il avait remarqué une fois de plus à quel point vous étiez différents, ton frère et toi, et il a dit : «Roger me ressemble tellement ! D'une certaine manière, j'en suis fier, mais j'aurais préféré qu'il soit en tous points semblable à Marcel.» Ne perds jamais ta joie de vivre, mon fils, et même aux moments les plus tristes, laisse ta nature heureuse reprendre le dessus.

Quand il se dégagea de ses bras, Antoinette lui dit :

– Maintenant, tu dois me donner ta parole que ce secret restera entre nous.

– J'aurais bien aimé interroger grand-mère pour en savoir plus long.

– Tu dois garder le silence, même par-devers ta grand-mère ! Tu la mettrais dans l'embarras si tu l'interrogeais !

– Sans compter que je n'ai pas à lui faire revivre ces moments ! Vous avez ma parole.

Marcel préféra retourner à l'atelier plutôt que de rester enfermé dans sa chambre à ruminer de sombres pensées. Quand il sortit, Antoinette poussa un soupir de soulagement. «À nous deux maintenant, Florence Grand-Maison la toute-puissante !»

Avec une idée bien arrêtée derrière la tête, Marguerite avait rejoint Antoine et ses cousins à l'atelier.

– Tu as vu les plans ? demanda Laurent à son arrivée.

– Je viens exprès ! répondit-elle avec enthousiasme.

Elle se pencha sur la grande feuille quadrillée, qu'elle connaissait par cœur, et sembla s'intéresser à tous les aspects avant d'arriver à son but.

– Dommage ! dit-elle discrètement à Laurent. En défonçant le mur qui sépare l'atelier et la petite maison, Antoine aurait agrandi pour la peine ! Tu devrais le lui suggérer. Si ça vient de toi, il acceptera peut-être de sacrifier la petite maison.

Marguerite s'éloigna et fit mine de suivre les travaux des autres tandis que Laurent allait se planter devant le mur du fond.

– Et si on le défonçait ? demanda-t-il en le désignant. Là au moins, on agrandirait pour la peine !

– On pourrait même vitrer tout le pan de mur qui donne sur la rivière, suggéra Roger.

– L'éclairage de l'atelier y gagnerait! s'exclama Marcel.

– Et la petite maison? Et vos souvenirs d'enfance?

– Antoine! Réalises-tu que Colette a maintenant deux enfants et que j'en aurai bientôt un? Nous ne sommes plus des enfants!

– Et ceux qui le sont encore n'y viennent presque plus, dit Marguerite. Imagine un peu le bel atelier que tu aurais!

Sans réfléchir, Marcel se saisit de la hache et fendit le mur du fond.

– J'ai mis la hache dans nos souvenirs, Antoine. Tu rêvais d'un grand atelier? Il sera à la mesure de tes rêves!

Tandis que Laurent et Roger s'en donnaient à cœur joie pour abattre la cloison du fond, Marcel se servait de cet exercice pour se défouler et engourdir le mal de sa désillusion. Marguerite et Antoine riaient. Ils ne souffraient pas de restreindre leurs gestes et leurs regards en présence des autres. Ils possédaient déjà tellement plus que ce qu'ils avaient espéré de la vie.

– J'ai une proposition à vous faire.

L'entrée en matière surprit Florence. Elle avala une gorgée de son lait chaud et attendit qu'Antoinette poursuive. Elle était au solarium quand sa bru avait fait irruption dans la pièce et elle se demandait ce qu'elle avait de si important à lui proposer pour venir ainsi la déranger en pleine soirée et alors qu'elle avait tant de dossiers à parcourir.

– Je voudrais que Raymonde soit réintégrée au sein de la famille et qu'elle retrouve ses droits sur l'héritage.

– Vous savez bien que je ne reviendrai pas là-dessus, Antoinette.

– De cette façon, le suicide de Gérard restera un secret bien gardé et je n'aurai pas à téléphoner à l'enquêteur pour lui demander des explications au sujet de deux taies d'oreiller trouvées dans l'atelier d'Antoine.

Florence changea de couleur. Elle avait toujours cru que le docteur Dagenais les avait récupérées et s'en était débarrassé.

— Qui les a trouvées?

— Marcel, alors qu'il était seul à l'atelier cet après-midi. Il est retourné auprès des autres en promettant de garder le silence.

— Ce que vous appelez proposition se nomme chantage! Avez-vous seulement pensé à la réputation de Gérard? demanda-t-elle en le regrettant aussitôt.

— La réputation de Gérard est bien le moindre de mes soucis! A-t-il pensé, lui, à ce que son geste pouvait signifier pour moi? Peut-on imaginer qu'un homme rejette sa femme avec autant de mépris? Pas une seule indication! Pas le moindre petit mot auquel me rattacher! Rien! Une compagne de vie et sept enfants balayés d'un coup de feu! Bang! Croyez-vous vraiment que sa réputation m'importe à présent? De toute façon, ma demande n'est pas exorbitante!

Florence se leva et marcha jusqu'aux fenêtres. L'atelier et la petite maison étaient éclairés. Elle imagina l'activité qui devait y régner.

— Raymonde ne sera pas déshéritée, vous avez ma parole. Pour ce qui est de la réintégrer au sein de la famille, c'est non!

— Elle se contentera de sa part d'héritage.

Florence se retourna vers sa bru.

— Auriez-vous osé poser un tel geste, Antoinette? Pour votre fille qui a si mal agi?

— J'aurais osé, soyez-en certaine! Oui, elle a mal agi et sa conduite me fait rougir, mais elle demeure ma fille malgré tout!

La réplique d'Antoinette eut sur Florence l'effet d'un coup de poing en pleine poitrine. À travers sa bru, la vie lui servait une leçon qu'elle encaissait douloureusement. Elle revit Simone terrorisée sur son lit, trop innocente pour avoir compris la portée de son geste, et pensa que pour sa fille, qui valait pourtant mille fois mieux que Raymonde, elle n'avait pas éprouvé la moindre compassion. Elle ressentit alors pour Antoinette du respect et de l'admiration.

– Je voulais également vous dire de réduire ma pension mensuelle de moitié. Je me suis lancée dans la couture et je compte me débrouiller par moi-même d'ici un an ou deux.

Antoinette partit la tête haute, fière de ce début de libération. Elle avait peut-être annoncé cette réduction un peu en avance, mais elle saurait compenser par la vente de ses bijoux et de son argenterie. Elle partit en relevant les épaules, heureuse de ce qu'elle avait obtenu pour sa fille et soulagée du refus de sa belle-mère à la réintégrer au sein de la famille. «Colette n'aurait pas mérité cette injure, pensa-t-elle, mais le piège de la double demande a bien fonctionné. Toujours demander un peu plus pour obtenir l'essentiel, disait ma mère.» En franchissant le seuil de sa maison, le sourire fendu jusqu'aux oreilles, elle murmura entre ses dents : «Florence Grand-Maison la toute-puissante a finalement courbé l'échine!»

À l'entrée de la chambre d'hôpital, Florence pensa défaillir. Agrandis sous l'effet de la peur, les yeux noirs de Jeanne luisaient de fièvre et donnaient l'impression d'envahir son visage exsangue. Florence inspira profondément et avança vers le lit de sa fille.

– Maman, j'ai tellement mal! Tellement peur! Je ne sais pas souffrir et j'en ai honte!

– La souffrance ne s'apprend pas, ma fille; elle se combat!

– Ils m'ont enlevé un sein! Comme si le sein d'une religieuse n'avait aucune importance!

– Ils ont voulu te sauver, Jeanne. Ils ont fait pour le mieux.

– Je ne suis plus une vraie femme!

– Ma pauvre enfant! Pleure, ma Jeanne, ma belle et grande fille que j'aime tant. Pleure, mon enfant, pleure.

Florence caressait les joues et le front de sa fille. De son bonnet blanc, une mèche de cheveux s'échappa, grise, méconnaissable. Florence, qui n'avait pas vu les cheveux de Jeanne depuis son entrée au couvent, se révolta. Les enfants n'avaient pas le droit de vieillir, de souffrir, pensa-t-elle; seuls les parents le pouvaient. «Mon Dieu, donnez-moi la force de ne pas lui dire ce que je pense de votre bonté. Retenez ce qui me vient présentement à la bouche et soufflez-moi les mots qu'elle veut entendre.»

– Je voudrais offrir ma souffrance à Dieu mais je n'y arrive pas, parce que je ne veux pas de cette souffrance! Maman, aidez-moi!

À sa propre surprise, Florence s'agenouilla près du lit de sa fille et prit ses mains dans les siennes.

– Mon Dieu, Jeanne vous offre sa souffrance. Elle a trop de mal pour le faire elle-même, et c'est pourquoi je m'en charge à sa place. Dites-lui de se reposer, de reprendre des forces, que sa souffrance est une prière en soi et que cela vous suffit.

Florence se tut mais continua mentalement: «Et ne me faites pas mentir! Que cela vous suffise! Elle s'est donnée à vous corps et âme! Comment pouvez-vous la traiter si mal, en retour?»

– Ma souffrance est une prière en soi et elle suffit à Dieu, murmura Jeanne. Des paroles d'ange dans votre bouche. Vous ne m'avez jamais rien dit de plus beau!

En sortant de la chambre, Florence se retourna vers le lit de sa fille. Un sourire flottait sur ses lèvres et, dans son visage exsangue, ses grands yeux noirs luisaient à présent d'une lumière nouvelle.

Clara accoucha en septembre, un jour de pluie et de grand vent qui faisait tomber les feuilles encore vertes. Juste avant d'entrer à l'hôpital, elle avait avoué sa peur à Laurent. «Une peur qui ressemble à ce grand vent, avait-elle dit. Je sais que c'est normal, surtout la première fois, mais ce n'est pas la souffrance que je redoute. Je crains d'être emportée par ce grand vent.»

La peur qui s'était logée au cœur de Laurent alors qu'ils quittaient le port de Catane pour voguer vers la mer, celle qui sommeillait en lui ou se faisait par moments plus présente, avait alors occupé tout son espace intérieur. «Tu sais bien que je t'aime trop pour laisser le premier venu t'emporter», avait-il blagué. Et Clara était entrée à l'hôpital en riant.

La nouvelle que Clara avait mis au monde des jumeaux et qu'elle était morte en leur donnant la vie avait rapidement fait le tour de la famille.

Laurent avait refusé de les voir, un garçon et une fille, et, comme il ne voulait pas retourner chez lui, il se rendit chez sa mère. Laurence, en l'accueillant, avait eu du mal à le reconnaître. «Je vous demande seulement de m'héberger pour quelque temps, lui avait-il dit. N'essayez surtout pas de me faire croire que le temps arrangera tout. Je ne pourrai pas vivre sans elle. Je ne veux pas!»

Florence venait tous les jours à la pouponnière de l'hôpital et, derrière la baie vitrée, elle observait les jumeaux, épiant leur moindre geste, leur moindre tressautement, s'émerveillant de leur beauté.

Quand leur congé fut signé, elle offrit de les prendre chez elle, précisant qu'avec l'aide de Simone, Marguerite et Antoine, les petits ne manqueraient pas de soins. Personne ne s'y opposa, car Laurent ne voulait pas entendre parler d'eux et nécessitait à lui seul l'attention de toute sa famille.

Laurence avait reporté son mariage, prévu pour la fin du mois, et ne travaillait que quelques heures par jour au Sélect, pour veiller le plus possible sur son fils. À mesure que le temps passait, son inquiétude grandissait. «Je passe des heures à ses côtés, disait-elle à Irène, muette comme une carpe, parce qu'il ne veut rien entendre. J'ai honte ! Honte pour lui ! Qu'est-ce que je dois faire ? J'ai tenté de le secouer, je l'ai supplié, rien n'y fait !» Et Irène n'avait pas su trouver les mots pour réconforter Laurence, sachant fort bien qu'avec la perte de l'être aimé disparaissait aussi le goût de la vie.

À force de toucher la nourriture du bout des lèvres, de traîner de longues heures au lit, Laurent confondait parfois le jour et la nuit et profitait du sommeil de la maisonnée pour boire jusqu'à l'oubli.

Durant ce temps, Roger apprenait à se débrouiller seul aux commandes des entreprises et y parvenait à merveille, heureux de n'avoir pas une minute à lui pour penser à sa belle cousine, à son ventre bien rond, au bonheur qui semblait l'habiter. Une fois par semaine, il se rendait chez sa grand-mère et discutait avec elle des affaires en cours, maudissant l'horloge chaque fois qu'il l'avait sous les yeux.

Aux derniers jours de décembre, alors que les jumeaux allaient bientôt atteindre quatre mois, Florence voulut voir Laurent.

— Il est en piteux état, admit Laurence qui ne s'attendait pas à la visite de sa belle-mère.

— En piteux état ? intervint Laurent en surgissant près de la porte, un verre à la main et les cheveux ébouriffés. Mais entrez, grand-mère ! Entrez donc !

Ils s'installèrent tous les trois au salon.

— Comment vont les jumeaux ? demanda Laurence, qui les avait quelque peu oubliés.

— On ne peut mieux, se contenta de répondre Florence pour ne pas attirer sur eux trop d'intérêt.

— Beau dommage ! Leur vie contre celle de Clara !

— Si tu me les confiais, Laurent ? Pour de bon ? C'est un fardeau trop lourd pour toi. De toute façon, tu seras toujours leur père et tu pourras les voir autant que tu le voudras !

— Ce que bon vous semble, grand-mère! Quant à moi, je vais dormir!

— Ce serait la meilleure solution, dit Florence une fois seule avec sa bru.

Laurence crut noter de l'anxiété au fond des yeux de Florence. Trop d'événements s'étaient bousculés depuis la mort de Clara pour qu'elle songe au sort des jumeaux. À peine avait-elle réalisé qu'ils faisaient d'elle une grand-mère. En prenant soudainement conscience de l'attachement de Florence à leur égard, elle se souvint de la triste histoire d'Aimé et de Marie-Ange, que lui avait racontée Irène, et comprit que sa belle-mère voulait se les approprier, tout comme si ses propres jumeaux lui étaient revenus. C'est alors qu'elle soupesa le prix que Florence était prête à payer pour les obtenir.

— Je manque à tous mes devoirs, madame Grand-Maison. Puis-je vous offrir un café ou un thé?

— Si vous vouliez m'accompagner, je prendrais bien un porto.

Laurence servit deux verres, le temps de mettre sa stratégie en place. La solution de Florence lui semblait effectivement la meilleure, car elle n'avait nullement l'intention de se retrouver avec deux enfants sur les bras, mais elle n'allait pas rater la chance de river son clou à sa belle-mère.

— Vous ne croyez pas que cette solution soit quelque peu hâtive? Le temps n'est pas venu pour Laurent de prendre une telle décision, me semble-t-il.

— Pourtant, nous savons bien toutes les deux à quel point il se tire mal des difficultés de la vie. Rappelez-vous sa réaction à la mort de Charles, son année d'étude perdue. Comment voulez-vous qu'on lui impose la charge de deux enfants quand lui-même ne réagit pas tout à fait en adulte? Et je ne dis pas ça pour le diminuer, loin de là! C'est une simple constatation, mais, qu'on le veuille ou non, il faut admettre qu'il s'est complètement déchargé de ses responsabilités sur le dos de Roger et qu'il ne s'est guère inquiété du sort des jumeaux depuis leur naissance.

— Mais vous-même, madame Grand-Maison, à votre âge, avec toutes les responsabilités qui vous incombent en regard de vos entreprises, sans parler de votre part du Sélect qui demande du temps et de l'énergie même si Igor vous seconde admirablement, n'avez-vous pas déjà trop de chats à fouetter?

Les deux femmes marchaient sur des œufs, sachant qu'il ne fallait pas en casser un seul. Pourtant, Laurence était prête à s'enhardir, à rendre le message plus clair s'il le fallait. De son côté, Florence n'ignorait pas que sa bru pouvait jouer de son influence auprès de Laurent et lui faire accepter ou refuser son offre. Le jeu du chat et de la souris aurait donc pu s'éterniser si Florence n'avait pas aussitôt saisi la perche que lui tendait Laurence.

— Évidemment, c'est beaucoup de responsabilités pour une seule femme. Je me disais récemment que j'aurais mieux fait de céder ma part du Sélect à votre futur mari lors de sa proposition. Maintenant que vous en possédez la moitié, sans doute est-il trop tard !

— En affaires, madame Grand-Maison, il est rarement trop tard ! Prendriez-vous un autre verre de porto ?

Sur le chemin du retour, Florence se félicita d'avoir mis Simone au courant de sa démarche. Si elle s'était inquiétée, elle partagerait maintenant sa joie, car, tout autant qu'elle, sa fille tenait aux jumeaux comme à la prunelle de ses yeux. Quand elle ouvrit la porte, Simone l'attendait, le regard anxieux.

— Je te donne carte blanche pour la décoration ! lança Florence en retirant ses bottes.

— La décoration ? Quelle décoration ?

— Celle de la chambre des jumeaux, tiens donc ! Pensais-tu que j'allais les garder indéfiniment au solarium ?

— Voulez-vous dire que... ?

— Si tu veux bien les partager avec moi, je pense qu'ils seront bientôt à nous !

Le visage de Simone se transforma. Jamais Florence ne lui avait vu pareil sourire et, pour la première fois de sa vie, elle la trouva belle.

— J'ai une faveur à te demander, ma fille.

— Je suis tellement heureuse que je vous l'accorde d'avance !

— Je veux d'abord te dire que je t'aime. On ne dit pas facilement ces choses-là, je sais ! Celles qui vont suivre encore moins, mais je les retiens depuis trop longtemps pour qu'elles me restent au bord des lèvres. Je demande ton pardon pour t'avoir si mal aimée. Si la vie était à refaire, je m'approcherais de ton lit, de tes seize ans pleins d'innocence, je te prendrais dans mes bras et je te soutiendrais. Je ne peux malheureusement pas revenir sur mes pas, mais j'aimerais prendre dans mes bras la femme belle et bonne que tu es aujourd'hui. M'accordes-tu cette faveur, Simone ?

Simone hésita un moment à peine, uniquement par timidité, puis avança vers sa mère qui ouvrait les bras. Elle s'y blottit. Elles ne pleuraient pas mais un courant de tendresse passait, qui les libérait d'un poids immense. Lentement Simone se dégagea des bras de Florence et lui dit, juste avant de s'éloigner en vitesse :

— Je vous pardonne.

Florence n'avait pas imaginé à quel point ce pardon la soulagerait. Elle eut soudainement l'impression de se dissocier de ses soixante-huit ans et de retrouver son cœur de jeune femme. Elle se rendit d'un pas léger au solarium et se pencha sur les berceaux. «Chers petits anges ! Qu'est-ce que ma part du Sélect, sinon une bouchée de pain ? J'aurais donné tout l'or du monde pour vous garder auprès de moi ! »

Elle prit les jumeaux dans ses bras et s'installa confortablement pour les bercer. L'horloge, au salon, sonna la seizième heure du jour. Elle ferma les yeux et un fragment du journal intime de Zélia lui revint à la mémoire. Les mots, en murmure, lui échappèrent :

— Entre chien et loup, à l'heure où la nuit enjambe le jour, alors que meurt la lumière et que naissent les étoiles, le bonheur m'alanguit.

TABLE